Elise Bergum

D0524545

COLLECTION
LITTÉRATURE
D'AMÉRIQUE

dirigée par André Vanasse

Données de catalogage avant publication (Canada)

Ouellette-Michalska, Madeleine, 1935–

   L'Amour de la carte postale

   (Collection Littérature d'Amérique)

   2-89037-332-0

   I. Titre.   II. Collection.

PS8579.U34A8 1987   C844'.54   C87-096038-5
PS9579.U34A8 1987
PQ3919.2.093A8 1987

TOUS DROITS DE TRADUCTION, DE REPRODUCTION
ET D'ADAPTATION RÉSERVÉS
© 1987 ÉDITIONS QUÉBEC/AMÉRIQUE
DÉPÔT LÉGAL :
BIBLIOTHÈQUE NATIONALE DU QUÉBEC
1er TRIMESTRE 1987
ISBN : 2-89037-332-0

Madeleine Ouellette-Michalska

L'Amour de la carte postale

Impérialisme culturel et différence

Essai

QUÉBEC/AMÉRIQUE

425, rue Saint-Jean-Baptiste
Montréal (Québec)
H2Y 2Z7
Tél.:(514) 393-1450

DÉJÀ PUBLIÉ

Aux Éditions Québec/Amérique

La Maison Trestler ou le 8ᵉ Jour d'Amérique, roman, 1984.

La Tentation de dire, essai-journal, 1985.

Chez d'autres éditeurs

Le Dôme, nouvelles, Montréal, Éditions Utopiques, 1968.

Le Jeu des saisons, roman, Montréal, Éditions L'Actuelle, 1970.

Chez les termites, roman, Montréal, Éditions L'Actuelle, 1975.

Entre le souffle et l'aine, poésie, Montréal, Éditions du Noroît, 1981.

L'Échappée des discours de l'Œil, essai, Montréal, Éditions Nouvelle Optique, 1981.

Le Plat de lentilles, roman, Montréal, Éditions de l'Hexagone, 1987, (Collection « Typo »); Éditions du Biocreux, 1979.

La femme de sable, nouvelles, Montréal, Éditions de l'Hexagone, 1987, (Collection « Typo »); Éditions Naaman, 1979.

La Danse de l'amante, texte dramatique, Montréal, Éditions de la Pleine Lune, 1987.

Penser est un acte.

Clarice LISPECTOR

ENTRÉE EN MATIÈRE :
DES DÉTOURS OBLIGÉS

Comment te dire, [...] en pleine présence, dans le temps sans mémoire, sans le jeu de la carte postale.

Madeleine GAGNON

L'Occident a toujours aimé expédier des cartes postales empreintes d'exotisme des lieux où il allait se distraire ou s'enrichir. On y affiche avec une opiniâtre constance les différences les plus frappantes observées lors des déplacements effectués.

Tantôt on se laisse envoûter par le mirage tropical. Tantôt on succombe à la griserie des vastes espaces de neige où les âmes ont gardé la pureté des vierges et l'innocence des commencements. La nostalgie des temps premiers et l'appétit de naturel séduisent les iconoclastes de l'usure des civilisations. On rêvera le mystère de continents obscurs où végètent des êtres différents de soi : provinciaux endimanchés, femmes ensorcelantes, peaux rouges, noires ou jaunes créées pour son divertissement ou sa félicité.

Voyager dans la carte postale est un art. Cette iconographie fabulatrice arrachée au temps de l'histoire revêt l'Autre de la perfection autorisée par la distance. Il était une fois ce geste suspendu, ce regard braqué sur le vide, ce silence des statues et des photographies anciennes peuplant les musées et les albums de famille.

Les meilleures caméras ne peuvent rien contre la mémoire rivée au mythe de la représentation. La différence est sans âge. Comme l'éternité, elle se recommence et se répète indéfiniment. Parfois pourtant, les visages se détachent du support qui les tenait captifs et se mettent à parler. L'enfer de la contradiction commence. Il n'y aura plus de paradis gagné d'avance. La rhétorique de la différence devra renouveler ses arguments.

La frénésie avec laquelle on a abordé le thème de la différence au cours de ces dernières décennies peut constituer un motif suffisant pour souhaiter interroger ce qu'elle est et à quoi elle sert. Une culture de vieille souche qui s'estime supérieure se penche-t-elle sur la culture d'une communauté plus jeune? Il y a de fortes chances pour que les traits saisis ressortissent à l'environnement physique donné comme la première et la plus déterminante spécificité. Se penche-t-on sur les petites littératures? Le texte disparaît sous un ensemble de caractéristiques extérieures qui éludent sa nécessité : le climat, les comportements, l'habillement, l'accent, la couleur.

La différence semble aussi inéluctablement liée à la nature que la fleur de lotus l'est aux yogis. Lorsqu'on la sollicite, elle parle de la nature, la suggère, la désigne. À la façon d'une carte postale, elle révèle ce que vous avez de plus réel et de plus fictif, de plus attrayant ou de plus exécrable : un coucher de soleil tropical, ma cabane au Canada, les chocolats suisses, les ruines mayas, la beauté féminine, la tour penchée de Pise, le parler québécois.

Malgré son long passé, la différence est au cœur de l'actualité. Au moins deux générations se seront prononcées sur elle. De la différence rouge, sexuelle, à la différence noire, discriminante, en passant par la blanche — la plus bruyante et féconde dans la production de théories —, chacune aura trouvé une voix pour ses fantasmes, un argument pour sa défense, une issue pour son utopie.

Dans ces débats présentant des situations similaires ou révélant des positions antagonistes, deux tendances prévalent. D'un côté, il y a ceux et celles qui revendiquent la différence d'âge, de sexe, de couleur, de classe, d'époque, et en font l'avocate de l'éthique abolie et des libertés violées.

De l'autre, ceux qui répugnent à cette apologie, persuadés que leur propre différence, répertoriée par les savoirs et imposée par les systèmes, gagne à s'épargner l'acte d'énonciation.

Les deux clans s'interpellent sans s'entendre. L'un avoue faire un usage subversif et politique de la différence. L'autre invoque des impératifs culturels, esthétiques, supérieurs. La différence a ceci de particulier. Elle peut tantôt dégénérer en revendication morose qui accentue les effets discriminants dont elle exige la levée ; tantôt incliner à la distinction et à l'affirmation de puissance et de supériorité.

Ces attitudes contradictoires entretiennent l'ambiguïté. Les détenteurs de la différence victorieuse démontrent dans des discours savants que la supériorité de leur mode de vie et de leurs systèmes de pensée justifie la prééminence exercée. Les porteurs de la différence déficitaire récusent cette hégémonie, appelant un partage plus équitable des pouvoirs et des ressources. C'est donc ou bien au nom d'une légitimité incontestable que l'on se pose comme interprète et gestionnaire d'un monde appelé à conserver son statu quo ; ou bien en raison de traits distinctifs occultés ou imposés que l'on réclame des réaménagements sociaux.

Mais alors que le premier groupe souligne l'aspect culturel des transformations accomplies, la nature imparfaite et rebelle ayant été matée par lui, transformée sous son action en structures et produits générateurs de progrès, le second appuie ses exigences d'arguments qui en soulignent le caractère naturel : les traits physiques ou physiologiques liés au travail, au territoire, au corps, à l'habitat, aux habitudes de vie. Si bien que le terme de différence, susceptible de recouvrir des situations contraires ou des attitudes opposées, paraît avoir comme premier attribut d'indiquer l'écart qui doit séparer le naturel — ce qui vient de la nature ou semble y conduire — et le culturel — ce qui se fabrique, y compris la nature elle-même.

Historiquement, plus les enjeux sociaux étaient importants, plus cet écart était grand. Plus il devait s'entourer de concepts et de théories justifiant la position de maîtrise. La différence étant ce sur quoi se construit le social, c'est-à-dire l'élément de base à partir duquel s'effectue la mise en relation des choses et des individus formant système, il va de soi que sa définition ne saurait être laissée au hasard. Définir la différence, c'est dompter l'altérité. C'est assigner à l'Autre sa place, sa fonction. Et exiger de surcroît la reconnaissance de l'écart maintenu entre qui fixe la norme et qui doit s'y conformer.

Cette mesure préventive est investie d'une fonction stabilisatrice. L'Autre, l'étranger ou l'étrangère de qui tout peut arriver, à commencer par le pire, doit être gardé à la bonne distance. Suffisamment proche, il reste sous contrôle et joue le rôle assigné. Suffisamment loin, il garantit le privilège d'exotisme et l'illusion d'altérité.

C'est en Occident qu'est né le concept de différence. Rien d'étonnant donc si celle-ci a surtout été définie en fonction des critères occidentaux, de ses catégories de pensée, de ses systèmes socio-culturels. C'est aussi en Occident que l'on se vante d'avoir maîtrisé la nature et imposé le règne de la raison. Que l'interrogation sur la différence aboutisse à une remise en cause théorique et pratique du fonctionnement global de la société n'est pas étranger à la présente crise de civilisation. La différence concerne non seulement les rapports de pouvoir institués entre personnes et entre sociétés, mais aussi le rapport aux savoirs, aux institutions, fictions et mots chargés de la représenter.

Le vieil humanisme s'est converti au scientisme sans renoncer aux discours de ressassement sur la différence. Aux marges des disciplines cependant, dans les interstices des savoirs où l'arbitrage des certitudes a cessé de faire le consensus, on commence à se poser certaines questions. La différence est-elle un fait de culture plutôt qu'un fait de nature ? Si oui, quelles sont les conditions de sa production matérielle et idéologique ? Quel rapport entretient-elle avec l'économie, la philosophie, le langage ? En littérature, où viennent échouer les résidus des représentations symboliques et conceptuelles, que lui fait-on admettre, avouer, illustrer ?

Ainsi, quand un journal parisien parle de nos livres, c'est un peu comme lorsque nous introduisons les autochtones dans nos manuels scolaires ou que les auteurs d'anthologies abordent le chapitre de la « littérature féminine ». Il y a des saisons, des climats, des usages, un paysage qui occupent l'avant-scène. Il y a des pulsions, des accents, un naturel qui conduisent l'intrigue. Il y a du sexe et non du texte. Il y a des effets de naturalisation qui postulent une différence obligée, ou à tout le moins admise.

Cette topographie de la différence est inscrite au préalable dans la géographie des rapports sociaux. Le centre est le lieu où triomphe la culture qui domine la nature et en fait le discours. La périphérie est le terrain vague où règne la nature et où s'agitent des êtres naturels. C'est donc au centre qu'il revient d'évaluer les traits distinctifs jugés inaptes à l'universalité dont il revendique l'exclusivité. L'opération, des plus rentables, répond à une logique et à des finalités.

Une différence naturelle ne devient une différence sociale qu'une fois ordonnée par la culture, énoncée par la langue, prise en charge par les savoirs, l'histoire, l'économie. D'où la nécessité de créer un système de marquage qui la rendra visible aux autres et à elle-même, disposée à répondre au bon vouloir de qui est autorisé à la nommer et, par le fait même, à l'utiliser. Marquer, c'est effectuer un classement du vivant qui fonctionne comme division sociale. Couvert par l'alibi de la transcendance ou de l'évidence naturelle, on impose des classifications qui favorisent des compartimentations hiérarchisantes, des évaluations réductrices ou des filtrages discriminants.

Examiner comment fonctionne le système de marquage
des territorialités ethnographique et sexuelle profitant à
l'impérialisme culturel des groupes qui ont pouvoir de les
indexer est le but de cet essai. Car de saisir que la différence
préoccupe autant Aristote que les fabricants de dictionnaires et les auteurs d'ouvrages littéraires du XXe siècle
incite à penser que la philosophie, la langue et la littérature
partagent un fond commun idéologique, voire des compli-
cités. Aucun phénomène culturel n'existe de façon isolée.
Avant de sécréter des régionalismes, d'habiter le territoire
des petites cultures ou de s'évanouir dans la féminité, on
est d'abord une catégorie mentale, le mot absent du dictionnaire, le *e* muet de la grammaire.

Clarifier la position de l'impérialisme culturel face à la
différence oblige à quelques détours. Nous commencerons
donc par le commencement. Voir dans quelle mesure le
socio-culturel induit le littéraire, l'oriente, le détermine. Ce
sera vérifier en quoi la philosophie des essences contenait
en germe l'ethnocentrisme, le racisme et le sexisme qui
viendraient s'y greffer et fonctionneraient à leur tour comme
des systèmes d'idées dotés d'une fonction sociale. Ce sera
heurter le génie de la langue et observer le dispositif de
marquage de la différence sous-tendant la norme, orientant
la définition, animant le bon usage des genres et le petit
monde des régionalismes. Ce sera discuter du clivage qui
sépare les « grandes » et les « petites littératures » pour
apercevoir le visage que prend la différence quand l'Autre
s'écrit ou est écrit dans un rapport mettant en scène le
centre et la périphérie.

À cette fin nous examinerons trois espaces où a paru
s'établir, à différents degrés et sur divers modes, un tel
rapport. Nous nous intéresserons au monde amérindien vu
par les littératures française et québécoise, à la littérature
québécoise vue par la littérature française, à la littérature
des femmes vue par l'institution littéraire. Du très lointain
nous passerons donc au lointainement proche et au très
proche, nous demandant si, dans ces lieux conviés par

l'histoire à une proximité soumise à la mémoire du corps, des mythes, de la loi, il y a eu découverte de l'Autre, accueil de la différence, ou destitution et refus de l'altérité.

L'Amérique, métaphore de l'inconnu, était une invitation à la dérive. Ce continent resterait-il le lieu de l'étrange refermé sur les cycles des nostalgies, ou s'ouvrirait-il par la littérature à l'art de voyager dans le temps de l'Autre, l'espace autre, sans basculer dans la fascination de la similitude et l'engouement des vieilles imageries ? En marge de l'iconographie tramée à l'envers du portrait de famille regroupant le bon sauvage, quelques cousins de province, la rougissante Maria Chapdelaine, la différence resterait-elle en littérature ce qui attire une mention critique circonstancielle, un silence concerté, ou ce qui choque et sème la panique dans les recueils de morceaux choisis ?

Répondre à ces questions en nous limitant à une fraction importante, mais partielle et partiale, de l'Amérique — qui a d'abord eu un pluriel — est une faiblesse doublée d'une faille. Comment peut-on s'en tenir à la tradition française quand les multinationales de l'édition et de l'information sont américaines, et que l'impérialisme américain est partout dénoncé. Sans rien exclure, nous suivrons le créneau historique, toujours actuel, convoquant la langue, la littérature et la culture d'origine. L'impérialisme américain et l'impérialisme français expriment deux moments à peine décalés de l'histoire occidentale. Tous deux sont de souche européenne, nés dans une société de discours issue de l'économie marchande.

L'un a conservé des allures aristocratiques, porte plastron, affectionne les circonvolutions langagières, l'effet de rhétorique. L'autre affiche un blue-jean, idolâtre l'informatique, se flatte d'avoir distancé l'écriture dans l'étiquetage et la normalisation de la différence. Les modes de marquage évoluent, mais les finalités demeurent. Tout centre tend à se créer des aires de diffusion où il peut maximiser ses profits matériels et symboliques : argent, biens, prestige, privilège d'excellence et d'autorité, exercice du pouvoir, rayonnement intellectuel et technologique.

À la rigueur, en ce qui concerne la différence ethnographique, si nous excluons le fait que le choix d'œuvres eût été différent ou plus difficile à établir, nous pensons que n'importe quelle littérature nationale d'Europe mise en relation avec le monde amérindien, ou avec une littérature postcoloniale nord ou sud-américaine non inscrite dans un renversement de pouvoir, permettrait de dégager un certain nombre de tendances analogues. Nous pensons aussi que la littérature montréalaise, face au reste de la littérature québécoise et aux littératures d'expression française d'Acadie ou du Canada, jouit des privilèges et de la suprématie d'une métropole de deuxième instance. On a l'impérialisme culturel qu'on peut s'offrir : plus ou moins arrogant, ou plus ou moins timide ; plus ou moins parcimonieux, rusé, enchanteur.

Quant au codage de la différence sexuelle affectée d'un coefficient de régionalisation supplémentaire, il est permis de croire qu'à l'intérieur des littératures citées il présenterait, malgré des variantes prévisibles, un certain nombre de similitudes.

1

L'UNIVERSALITÉ
ET SES
COMMODITÉS PRATIQUES

La préoccupation de l'universel est l'envers aliéné de la prétention (tout occidentale) à régenter universellement. Quand un homme vous dit qu'il entend être universel, attention.

Édouard GLISSANT

S'il n'y avait cette différence

> Cela à gueule que veux-tu de tracer les paramètres de la
> lutte et du droit à l'existence.
>
> France THÉORET, *Une voix pour Odile*

Aucun groupe marginal, aucune personne appartenant à
une formation sociale secondaire n'ouvre la bouche pour
réclamer le droit à la différence sans se prêter à la défense
et à l'illustration des traits particuliers qui lui confèrent sa
valeur ou son charme. Quelle est l'utilité de ce perpétuel
recours à la différence dans l'arbitrage des droits et la
revendication de sa spécificité ?

Pourquoi est-ce du côté où la différence semble de prime
abord préjudiciable que l'on en témoigne constamment ? Et
pourquoi un consensus finit-il par s'établir sur la façon de
nommer la différence, ou de la taire ? On n'a jamais
entendu un Blanc avouer qu'il était différent d'un Noir, un
homme dire qu'il était différent d'une femme, le récipiendaire d'un prix Nobel ou Goncourt clamer que cela valait
bien le Molson ou le David.

La revendication du droit à la différence remonte aux
années 60. Avant d'accaparer les médias, elle a d'abord
mobilisé les organismes internationaux et les mouvements
antiracistes.

Au lendemain de la décolonisation africaine et de la conquête des droits civiques par les Noirs américains, on constatait l'incapacité du droit formel à produire l'égalité promise. L'ex-colonisé ne devenait pas l'égal du colonisateur après l'indépendance nationale de son pays, et l'ancien esclave ne menait pas la vie de son maître après l'obtention de ses droits civils. Les luttes sociales entreprises entendaient par conséquent réduire l'écart qui persistait entre le rêve de libération et sa réalisation pratique.

Pendant la décennie suivante, des groupements féministes reprirent l'expression à leur compte pour dénoncer ce qui était considéré comme l'ultime forme de colonialisme. Les femmes, qui possédaient légalement le droit au même salaire que l'homme, à la même autonomie physique et intellectuelle, gagnaient moins que celui-ci et dépendaient encore largement des structures familiales, pédagogiques et médicales dans l'exercice de leur vie intime et professionnelle.

Ces revendications, qui conciliaient l'idée abstraite d'égalité et sa formulation juridique sans nécessairement modifier le rapport social impliqué, suscitèrent une bienveillante attention. En haut lieu, on se mit à recevoir les états généraux du Tiers-Monde, à entendre leurs doléances, à examiner leurs requêtes. Comme toute minorité culturelle pouvait dresser publiquement l'inventaire de ses particularités, les femmes furent conviées à la barre. On les pria de décliner leur différence, soit énumérer les deux ou trois choses qui ajoutaient à leur charme ou à leur disgrâce.

Le refrain trouvait preneur. La recherche et l'acquisition de moyens concrets, politiques, permettant d'imposer sa différence, n'étaient pas toujours au programme. On multiplia donc les lieux d'expression. Bientôt, toute personne qui souhaitait vivre sa différence put deviser du messianisme de pointe annonçant l'Homme nouveau de la Société nouvelle. Ces réunions rencontraient l'adhésion condescendante ou amusée de qui gardait en main le contrôle du discours et payait les frais de représentation.

Cette célébration du futur prônant le droit à la diversité faisait l'économie de l'analyse politique du présent. Aussi longtemps que la différence restait cette projection obscure, incantatoire, détachée des causes qui l'avaient produite, le statu quo était sauf. Le vaudou continuait d'être associé au métissage du corps et de l'esprit. Les neiges éternelles et les soleils tropicaux commémoraient l'époque coloniale. La confiture de pommes et la délicatesse de cœur reconduisaient à domicile une féminité momentanément égarée.

L'opération portait fruit. Le discours de la différence était tenu par ceux et celles qui auraient dû s'en plaindre. On laissa croire au consensus. En dehors de quelques moments d'impatience ou d'anxiété, tout le monde parut d'accord. Un champ de bananes n'était pas un puits de pétrole, la complainte acadienne ne valait pas *Le Monde selon Garp*, le chromosome X ne serait jamais le chromosome Y. La preuve était faite. C'est bien parce qu'il y avait au départ ce quelque chose de très particulier que les uns et les autres se retrouvaient au bout du compte en des lieux et des états si différents.

L'aveu de faiblesse

> On dit « différer de ». L'important est ce petit *de*. [...] En somme la différence se pense dans un rapport, mais dans un rapport d'un type particulier où il y a un point fixe, un *centre* qui ordonne autour de lui et auquel les choses se mesurent [...]
>
> Colette GUILLAUMIN

L'aveu de la différence est la plupart du temps l'expression d'un manque, l'énoncé d'une privation, le constat d'un retard dans l'acquisition d'une compétence ou l'exercice d'une liberté. Dire « je suis différent-e de », c'est énoncer la dissymétrie d'un rapport. Cela revient à dire : je choisis l'autre, cet autre bien en place, bien en vue, comme figure centrale dont j'attends l'autorisation d'être ce que je suis.

On souligne ainsi l'importance de cette figure, reconnaissant sa légitimité à arbitrer l'évaluation de la différence, à entendre ou non les requêtes, à effectuer ou non les changements proposés.

La différence pensée *en termes de* et revendiquée *par rapport à* équivaut à une acceptation de subordination. On exprime sa dépendance envers qui n'a pas à demander à qui que ce soit l'autorisation d'être ce qu'il est ou de faire ce qu'il fait. La référence se double du constat d'impuissance et de l'acte de révérence d'où n'est pas toujours exclu le désir de séduction.

Ce recours à la différence a comme premier effet d'indiquer l'écart qui sépare le centre de la périphérie. Il désigne l'instance de pouvoir fixe, stable, que l'on souhaite fléchir. Le discours tenu est à peu près celui-ci : accordez-nous, s'il vous plaît, le droit d'être différent, d'avouer nos traits, d'acquérir quelques-uns de vos talents ou de vos privilèges. Pour le reste, c'est promis, nous sauvegarderons notre spécificité, cette aptitude à faire du joual, de la confiture de pommes, du soleil tropical ou de quelques arpents de neige le fondement de notre existence et l'expression de notre art.

Or c'est précisément ce reste qui permet de *différer*, c'est-à-dire de remettre à plus tard l'instant où la différence inclura deux pôles de comparaison et non plus seulement un seul. Dans un rapport de réciprocité, on différerait *entre soi* et non pas *de* cet autre qui sert constamment de point de référence. En un sens, la revendication de la différence sert le pouvoir. Si quelqu'un du groupe dominant avait un jour l'idée d'exiger le droit à la différence, il cesserait du coup d'appartenir au groupe dominant. De ce côté, on ne demande rien pour la simple raison que ce que l'on est et ce que l'on a constitue la norme. La partie *qui diffère de* étant généralement moins bien pourvue en mérite et en privilèges que la partie qui ne diffère de rien, dire sa différence c'est inévitablement céder à l'oreille complaisante qui attend de vous l'effet de soustraction attendu.

Le deuxième effet est un effet de masquage. La revendication d'une spécificité exprime le plus souvent l'insertion dans un rapport d'inégalité et la méconnaissance de ce rapport. Focaliser l'attention sur un particularisme qui paraît fonder la différence, c'est considérer celle-ci isolément de ce qui la produit ou la soutient dans son existence quotidienne. C'est souscrire à la stratégie de marginalisation qui vous confère telle nature, vous donne tel langage, vous conduit à telle fonction sociale et à telle représentation de vous-même dans vos discours et dans vos œuvres.

Considérée ainsi, la différence ne s'inscrit plus dans une série de rapports sociaux influencés par l'usage que font les personnes ou les groupes en présence des droits politiques et sociaux, des biens matériels d'un territoire, du savoir et du pouvoir d'une communauté. Elle n'est que ce détail prépondérant sans quoi rien ne s'explique ou ne s'entend. Elle est cet accent qui vous précède, cette couleur qui vous résume, ce paysage qui éclipse ses habitants. Elle est cette propension à la sorcellerie, à l'instinct maternel, aux travaux subalternes, qui fait de vous une curiosité sublime ou un être méprisable et soumissible.

La différence devient alors votre carte d'identité. La carte postale de ce que vous avez fait ou de ce que vous vous apprêtez à faire. Ainsi, ce livre, à quoi bon l'écrire? On sait déjà. Québécois, vous nous entretiendrez de vos arpents de neige; Noir, de votre négritude; femme, de votre féminité. Nous sommes dans l'ordre de la causalité naturelle, de la spécificité obligée. Et à cet égard, l'évolution du concept de droit à la différence est significatif.

L'Homme universel et la triple maîtrise

> [...] le tic-tac sémantique qui permet de faire jouer un déclic, d'engendrer des échappées heureuses.
>
> Pascal BRUCKNER,
> *Le Sanglot de l'homme blanc*

L'impérialisme culturel, qui invoque constamment l'universalité pour valider ses pratiques, a engendré un produit idéologique qui a pour nom l'Homme universel. Chaque jour, sur nos écrans de télévision, à la radio, dans nos journaux, l'Homme universel se prononce sur la civilisation, la richesse, les mots, les femmes, comme s'il s'agissait d'un bien propre, d'une matière assimilée, chosifiée, dont il dispose.

Si l'on tente d'examiner le statut de l'Homme universel, on croit saisir que son investiture tient à une triple maîtrise. Maîtrise du discours social (savoir, théories, idéologies); maîtrise des biens matériels et symboliques de la communauté (incluant les profits et les privilèges que l'on en tire); maîtrise des agents de production des biens (les individus en général) et plus spécifiquement des agents de reproduction de la force de travail (les femmes, leur sexualité, leur fécondité).

De façon simple, l'Homme universel est celui qui possède, ou à tout le moins contrôle dans une aire d'influence précise, les trois valeurs fondamentales permettant à une société de se constituer et de se développer: les mots, les biens, les femmes. C'est cela même qu'exprime Lévi-Strauss dans son analyse anthropologique des structures fondant la société:

> [...] on peut amorcer cette «révolution copernicienne» [...] qui consistera à interpréter la société, dans son ensemble, en fonction d'une théorie de la communication. Dès aujourd'hui, cette tentative est possible à trois niveaux: car les règles de la parenté et du mariage servent à assurer la communication des femmes entre les groupes, comme les règles économiques servent à assurer la communication des biens et des services, et les règles linguistiques, la communication des messages [1].

On peut trouver abusif de voir ces trois composantes placées sur un pied d'égalité. Il faut comprendre que les

échanges économiques et les échanges sociaux dans leur
ensemble fonctionnent comme des rapports de communication doublés de rapports de pouvoir qui s'exercent par
l'intermédiaire des rapports de classe et de sexe. Historiquement aucune société hiérarchique ne s'est constituée
sans que ne s'effectuent, selon des modalités propres aux
époques et aux systèmes, le contrôle du langage fondateur
et divulgateur de la loi, le contrôle de la production des
biens et de la circulation du capital, le contrôle de la
fécondité des femmes pourvoyeuses de main-d'œuvre et de
lignée.

Dans cette configuration, le statut d'universalité échoit
individuellement à qui participe à l'expression et à la
gestion de ce qui circule dans la communauté. Collectivement, il va au groupe qui possède l'infrastructure et la
superstructure requises pour diffuser, tant à l'extérieur
qu'à l'intérieur de ses frontières, les codes, capitaux, biens,
discours et systèmes de pensée produits.

Chacune des structures d'échange renvoie à la totalité du
système. Ainsi, la télévision et le cinéma américains dif-
fusent la culture américaine partout où les États-Unis ont
imposé leur puissance industrielle et leur force militaire.
Pour la même raison, un auteur parisien ou new-yorkais
qui débarque à Montréal, Dakar ou Port-au-Prince crée plus
de remous, s'attend à plus d'égards qu'un essayiste haïtien
ou une romancière québécoise de passage à Paris ou à New
York.

L'intérêt porté à un livre, une œuvre, un produit culturel,
est le plus souvent proportionnel à l'accréditation du lieu de
provenance. Une communauté dont le pouvoir s'exerce
exclusivement ou principalement à l'intérieur de ses frontières, c'est-à-dire une communauté qui est marginale ou
secondaire sur l'échiquier des rapports de force internationaux, part perdante dans la course à l'universalité.
Elle a peu de chances d'imposer au monde ses modes, ses
créations culturelles, ses concepts. Pour cette raison,

universel est synonyme d'*occidental*, et *mondial* signifie d'abord *européen* ou *nord-américain.*

À peu de choses près, la littérature tient le même discours que l'histoire, la sociologie, la philosophie. Elle met en scène l'Homme universel, loue ses mérites, décrit ses initiatives, nous transmet sa vision des choses, puis elle élude le reste. Ce reste est précisément ce qui excède le culturel élu par le centre. Ce qui en est la condition et le déchet, la part honteuse ou cachée, la mauvaise conscience ou le lapsus. Le reste est ce qui est défini, présenté comme *différent de.*

Le discours marchand sera d'une rigoureuse cohérence. Il placera l'universel du côté du profit, et le particulier du côté du déficit. Le malaise qui entoure aujourd'hui cette question se trouvait déjà en germe dans la pensée grecque, qui inventa le concept d'universalité tout en défendant l'esclavage. La contradiction n'est qu'apparente. À l'intérieur d'un système social donné, la différence est toujours appréhendée en fonction des conditions matérielles et idéologiques de sa production. Créer l'Homme universel, c'était définir du même coup qui était admissible à cette catégorie et qui en était exclu.

Les exclus de l'universalité

> Les Chinois ont le front large, le visage carré, le nez court, de grandes oreilles et les cheveux noirs... Ils sont naturellement doux et patients mais égoïstes, orgueilleux...
>
> Les Nègres sont en général bien faits et robustes, mais paresseux, fourbes, ivrognes, gourmands et malpropres...
>
> Les habitants de l'Amérique sont agiles et légers à la course ; la plupart sont paresseux et indolents, quelques-uns sont fort cruels...
>
> CROZAT, *Géographie universelle*

Puisque l'Homme universel appelé à soutenir l'impérialisme culturel est celui qui détient le contrôle des productions matérielles et culturelles supérieures et durables, il va de soi que tout le monde ne peut être universel et que tous les individus ne peuvent être des hommes.

Il faudra donc déterminer quelle fraction de la population sera affectée à la production la plus immédiate et la moins gratifiante de ces biens. Ceux et celles qui échappent au prototype universel — l'adulte mâle, productif, blanc, riche et puissant — courent le risque de se voir assigner une différence soumissible, chargée d'indices de naturalité, qui les désignera pour ces tâches. Plus le degré de nature attaché à cette différence se situe aux paliers inférieurs du système de valeurs du groupe dominant, et plus le risque d'instrumentalisation et de subordination est grand.

Comme la hiérarchisation des rapports sociaux repose sur la capacité que détient le centre de délimiter et d'utiliser un certain nombre de différences justifiant la place occupée dans l'espace social, on empruntera à des propriétés physiques les marques de différenciation devant circonscrire l'espace corporel et géographique des groupes sociaux périphériques. L'espace corporel sera affecté d'indices de couleur, d'âge, de sexe, prescrivant la nature et le lieu d'exercice de la fonction à occuper. L'espace géographique sera balisé de marques indicatrices du statut de réserve : réserve de main-d'œuvre et de ressources naturelles, de l'achigan à l'huile de phoque, en passant par les fourrures, les pépites d'or, le mystère féminin, l'exotisme, le dépaysement.

Au bout du compte, on fera le calcul. Et les groupes sociaux qui cumuleront le plus grand nombre de différences — c'est-à-dire dont le degré de nature accusera l'écart le plus prononcé vis-à-vis du centre jouant le rôle d'instance évaluatrice —, se retrouveront dans les marges, évincés des lieux où s'édifient les choses capitalisables, permanentes, exemplaires. Dans ces marges, on travaillera au jour le jour,

collé à la matière, incapable de s'affranchir de ce qui
détermine à l'éphémère et à l'effacement.

Cet usage d'un groupe par un autre aux fins d'accroître ses
bénéfices se fonde habituellement sur un rapport d'appropriation plus ou moins poussé. L'appropriation peut être
collective, ouvertement politique. Sous le coup de pressions
impérialistes ou coloniales, le centre occupe la périphérie
dont il soumet les habitants, à qui il impose sa loi, sa
langue, sa culture par des moyens coercitifs qui ne vont pas
nécessairement jusqu'à l'appropriation corporelle brute
comme dans l'esclavage racial[2]. Mais c'est pratique courante que de s'approprier le corps utilisé comme instrument
de travail, de plaisir[3] ou de reproduction et d'effectuer la
saisie de l'espace intime de l'autre, de son temps, de ses
forces créatrices, de sa mémoire, de son histoire.

Ce rapport d'appropriation affecte de différentes façons et
à différents degrés les groupes et les personnes que l'appartenance sociale, ethnique, géographique, sexuelle détermine à être gens du dehors, personnes étrangères au centre,
qui ont gardé des affinités avec la nature, vivent sous son
emprise, se montrent réfractaires ou inaptes à la « culture
universelle » qu'ils sont tout de même forcés de connaître,
de consommer, et dans laquelle ils sont censés se reconnaître. Il concerne de près ou de loin tous ceux et celles qui
sont *différents de*, dont l'existence ou les activités ont pour
théâtre des lieux mal identifiés : d'où venez-vous ? quelle est
votre origine ? vous êtes la femme de qui ? Il touche les
espaces confinés, clandestins, marqués de valeurs affectives, apparentés à l'espace domestique où la valeur d'usage
l'emporte sur la valeur d'échange. Tous ces lieux où l'on ne
maîtrise pas son travail, son histoire, sa représentation
sociale, où l'on ne dispose pas des moyens matériels et
politiques qui permettraient d'assumer la gestion interne et
externe de ses productions matérielles, linguistiques et
culturelles.

Dans tous ces espaces où prévaut un rapport social qui fonctionne sur le modèle du rapport domestique, il y a non-reconnaissance ou faible reconnaissance des biens matériels et symboliques produits. Nous sommes dans le domaine de l'inestimable, de l'archaïque, du pittoresque. Nous sommes dans l'iconographie de la carte postale. L'effet l'emporte sur la cause. Le spectacle de l'étrange distrait des conditions de production matérielle et idéologique de la différence.

---

1. Claude LÉVI-STRAUSS, *Anthropologie structurale*, Paris, Plon, 1958, p. 95.
2. Deux cents millions d'Africains furent déportés ou disparurent dans le trafic d'esclaves pratiqué par les puissances colonisatrices européennes et étatsuniennes entre le XVIe et le XXe siècle. Des tribus entières d'Amérindiens furent asservies, exterminées, lors de la conquête des Amériques.
3. Des millions de femmes, d'enfants, et une minorité d'hommes s'adonnent à la prostitution dans des conditions dégradantes et inhumaines sans que la loi intervienne.

2

L'IMPÉRIALISME CULTUREL OU L'ART DE TIRER PROFIT DE LA DIFFÉRENCE

> [...] *on ne cherche plus à faire lever le grand propos énigmatique qui est caché sous ses signes ; on lui demande comment il fonctionne.*
>
> Michel FOUCAULT

Du centre à la périphérie

Quand on parle du centre, on comprend tout de suite qu'il s'agit d'une construction.

Jean JONASSAINT

Si l'histoire et l'observation courante enseignent que le recours à la différence est le propre des faibles, elles démontrent aussi que l'impérialisme culturel est le propre des forts.

Une différence ne s'entend que par rapport à quelque chose de plus fort et de plus englobant qui lui donne son sens et sa finalité. Sans rapport colonial, les neiges et le vaudou cessent d'être des traits particuliers promus au rang d'attraction touristique. Sans rapport domestique, la confiture de pommes et le dévouement inestimable des mères font faux bond au produit national brut.

L'élément central qui détermine la forme de rapports qui prévaudront à l'intérieur d'une configuration sociale détermine également le partage de l'universel et du particulier. Car s'il est acquis que ce qui s'agite à la périphérie — le noirisme, le régionalisme, le féminisme, le folklorisme, etc. — se présente toujours avec quelque chose de particulier, il reste habituellement convenu que tout ce qui est central est éminemment général et indiscutablement universel.

Cela n'est pas sans conséquence. Comme seul l'universel fait autorité, l'accréditation du particulier ne peut qu'émaner du centre infaillible et tout-puissant qui possède les moyens politiques, économiques et culturels de légiférer sur la différence, d'en prévoir les définitions et d'en contrôler l'utilisation. L'impérialisme culturel n'existe que grâce au maintien d'un système de différences parfaitement intégrées et maîtrisées dont on sait faire usage.

L'impérialisme culturel, c'est précisément l'art d'imposer la différence et d'en tirer profit après avoir décrété qui ou quoi est universel. Sans cette saisie de la notion de profit, on ne saurait comprendre le discrédit qui entoure les concepts d'empire et d'impérialisme, pendant longtemps considérés comme nobles et glorieux. Nous ne sommes plus au temps béni où Horace, Virgile et Ovide chantaient la gloire de l'empire romain et les vertus de ses empereurs. Ni à l'âge relativement proche des empires européens où l'on enflammait l'imaginaire collectif en l'entretenant de la grandeur impériale.

Le vent a tourné. Aujourd'hui, être du côté des impérialistes, c'est être du côté des salauds. Quiconque s'adonne à cette pratique évite de s'en vanter. L'expression, devenue taboue, n'a plus que des connotations négatives. Elle désigne l'exploitation d'un groupe faible par un groupe fort. Elle est synonyme de domination et d'aliénation. L'impérialisme, comme l'enfer, c'est l'Autre. Et l'Autre, c'est la force envahissante qui fait entrave à son propre développement. Ainsi Montréal, qui regarde de haut ses propres périphéries, se plaint de l'impérialisme culturel de la France, qui elle-même jette les hauts cris contre l'impérialisme américain.

Dans l'impérialisme ancien dont Rome fut l'exemple type, les dominations politique et militaire des peuples assujettis par la force des armes à un État puissant et à son administration centralisée l'emportaient, assure-t-on, sur l'exploitation économique. À l'opposé, l'impérialisme moderne pratiqué sous l'expansion coloniale européenne — et plus

tard américaine —, se serait donné l'exploitation économique comme but principal, la conquête militaire et la
domination politique n'étant ou n'ayant été que les moyens
d'y parvenir [1].

Il se peut que l'opposition ne soit qu'apparente. Les mouvements de colonisation moderne ne renonçaient pas au
désir de renforcement de pouvoir sous prétexte que les
puissances monopolistiques de l'industrie naissante se
cherchaient des lieux où s'approvisionner en main-d'œuvre
et en matières premières, territoires où l'on écoulerait
ensuite ses marchandises et ses capitaux excédentaires. Et
l'on peut penser que les Romains auraient sans doute été
moins enclins à l'expansion territoriale s'ils n'avaient pu
drainer vers la métropole impériale les richesses des terres
et des cités conquises.

Qu'il s'agisse d'impérialisme ancien ou moderne, une constante demeure. Nous sommes toujours en présence d'un
mode de relation analogue. Une structure hégémonique
centrale dispose des moyens d'imposer sa culture, ses
modes d'être et de pensée, dans les territoires où elle fait
circuler ses produits par la force militaire ou par ses
réseaux d'influence et d'échange. Et cette structure, qui
prend aussitôt figure de modèle à imiter, s'affirme comme
le monde essentiel, l'unique instance de décision capable de
décréter où et en quoi la périphérie sera *différente de.*

Une distinction paraît cependant devoir être faite entre
l'impérialisme ancien et l'impérialisme moderne. Dans le
premier, l'espace économique est lié aux territoires géographique, religieux et politique qui le soutiennent. Dans le
second, il se confond avec le territoire imaginaire des
marchandises et messages mis en circulation.

À l'heure des multinationales, l'éclatement apparent du
centre, sa dissémination dans une infinité de lieux mobiles
et changeants, laisse croire à sa disparition. Le territoire
géographique reste l'espace politique des gouvernements,

mais les anciennes figures du pouvoir dont on n'attend plus qu'une caution morale sont elles-mêmes soumises aux impératifs du marketing. Le territoire social qui fonde l'identification moderne est rempli des images, objets et modèles offerts à la consommation.

L'ancienne dépendance périphérique se référait à un espace géographique précis, politiquement identifiable. Elle se dilue maintenant dans les idéologies et produits mis en circulation par le centre anonyme et polymorphe qui la sollicite. Et c'est alors qu'intervient le pouvoir de la séduction, non toujours dissociable de la séduction du pouvoir. Les Esquimaux n'ont jamais convaincu personne que le poisson cru est bon pour la santé. Mais le coca-cola s'est répandu partout à travers le monde, associé à l'idée de richesse et de liberté. Comment les périphéries pourraient-elles s'acharner à défendre leur spécificité quand le centre produit de l'universel, exhibe du spectaculaire, vend du moderne, exporte du sensationnel ?

L'emprise de la séduction est d'autant plus forte que le rapport entre le centre et la périphérie se présente sous des dehors aimables qui n'éveillent aucun soupçon. L'acculturation s'effectue plus aisément si les contraintes sont moins visibles. Débarquer en territoire conquis avec un transistor ou un best-seller sous le bras vaut mieux que de montrer des fusils.

La séduction marchande a un envers dont la constance ne semble pas s'être démentie au cours de l'histoire. L'impérialisme actuel, qui repose sur l'internationalisation de la vie économique et culturelle, vit toujours des matières premières tirées de la périphérie, traitées puis transformées en produits finis dont une large part retourne aux lieux de provenance [2]. La rentabilité du traitement se fonde sur un déficit. Le profit de la partie cédante est toujours de loin inférieur à celui de la partie prenante. Plus on est fournisseur ou fournisseuse de matière première — ressources

naturelles, énergie du corps travailleur, capacité de reproduction — et plus on porte une différence susceptible d'être
captée par l'économie marchande, contrôlée par son discours, utilisée dans la production de services jugés inesti-
mables ou inestimés rendant possibles la production et la
circulation d'objets monnayables.

Attachement et gratuité

> Et ceci nous découvre une infrastructure du mystère
> féminin qui est d'ordre économique.
>
> Simone de BEAUVOIR, *Le Deuxième Sexe*

Que le groupe social affecté du plus grand nombre de
« différences naturelles » se retrouve au bas de la pyramide
sociale n'est pas sans conséquence pour qui cumule la
différence de classe et la différence de sexe, surtout si son
activité exclusive ou principale s'exerce au sein de l'économie domestique.

Historiquement, l'instrumentalisation du groupe reconnu
comme différent passe, en société foncière et en société
marchande occidentale, par l'appropriation physique du
corps et l'accaparement de la force de travail. À l'origine,
les deux vont de pair. Qui donne son travail donne également son corps. C'est la pratique esclavagiste des sociétés
antiques et coloniales où il n'existe aucune mesure de la
force de travail prise en bloc avec le corps, si ce n'est la
limite physique du corps. C'est, à un moindre degré, le
système de servage où des limites sont alors posées à
l'usage du serf : tant de jours de travail par semaine, telle
forme de travail, etc.

Progressivement, par suite de l'abolition de l'esclavage et
du servage, sont instaurées des mesures quantitatives et
qualitatives de l'usage du corps : temps et conditions de
travail, évaluation de l'effort et des services rendus en

échange d'un salaire et de privilèges sociaux. Le développement industriel et l'émergence du prolétariat brisent définitivement le lien syncrétique entre l'appropriation physique directe et l'utilisation de la force de travail désormais négociée contre rétribution. L'évaluation monétaire de celle-ci ne suffit pas à en garantir un usage équitable, car l'ensemble des rapports sociaux ne peut être traduit en termes contractuels, mais le salariat fixe des conditions minimales de travail : horaires, délimitation des tâches, rémunération, avantages sociaux.

Au XXᵉ siècle, il existe néanmoins toujours un lieu où la force de travail n'est pas séparée de son support producteur et reste par le fait même difficilement évaluable matériellement et socialement. Tant au sein des sociétés modernes qu'au sein des sociétés primitives — et cela explique en partie pourquoi, dans n'importe quelle formation sociale, la femme possède en général un statut inférieur à celui de l'homme —, une fraction importante de la population cède, pour la durée du contrat à vie qui en garantit l'usage, la force de travail et la force de reproduction dérivées du corps physique qui en est le support. Il s'agit des femmes.

Cela prend habituellement la forme individualisée d'une association affective consacrée par le mariage. Mais comme dans ce contrat, et dans l'ensemble du contrat social, n'interviennent ni mesure de temps, ni spécification précise des tâches, ni entente sur la rémunération et les privilèges monétaires attachés à la procréation des enfants, à leur éducation et au travail domestique en général, les femmes dépendent encore largement, comme dans les modes anciens d'économie, du bon vouloir de qui leur accorde le gîte et le couvert en échange des services rendus.

L'appropriation tacite ou formelle de la matérialité physique du corps des femmes était encore partie intégrante du texte de la loi dans nombre de pays occidentaux jusqu'à tout récemment : obligation sexuelle, déplacements domiciliaires déterminés par l'époux, autorisation de celui-ci pour une intervention chirurgicale pratiquée sur l'épouse, etc. Elle perdure dans les pratiques clandestines ou à demi clandestines de prostitution. Et elle demeure situation de fait dans nombre d'unions modernes où la femme cède en vrac le corps dispensateur de bénéfices généalogiques, domestiques et sexuels en échange d'une contrepartie matérielle dont la valeur et les clauses ne sont nulle part nettement définies.

L'épouse liée à un homme aimant et équitable peut avoir jusqu'à sa mort un meilleur traitement que l'ouvrier exploité par son patron ou même le col bleu des sociétés techno-cratiques. Mais, en cas de rupture du contrat matrimonial, la loi ne portera pas à son actif le travail domestique accompli pendant 10 ou 20 ans de vie conjugale, et aucun organisme ne lui octroiera l'assurance-chômage, l'assu-rance-maladie ou la caisse de retraite que lui aurait garan-ties un travail rémunéré.

L'ambiguïté du contrat matrimonial, reproduction indivi-dualisée de l'ensemble du contrat social, n'est levée qu'à l'occasion d'une rupture ou d'un divorce, lorsque se trouve clairement délimité ce qui, des obligations de l'épouse, est admissible à l'évaluation monétaire et ce qui ne l'est pas. Les tâches auparavant considérées comme non évaluables sont rémunérées dès qu'elles sont accomplies à l'intérieur du foyer par des domestiques, ou à l'extérieur par des entreprises spécialisées : services de garde d'enfants et d'entretien de la maison, décoration intérieure, buanderie, préparation des repas, jouissance sexuelle, etc.

Qu'une classe d'individus — les femmes — soit considérée comme dépendante, ou même propriété matérielle d'une autre classe — les hommes — ne peut qu'engendrer une série d'attitudes, voire d'abus, qui tendent à indiquer que les femmes ne disposent pas entièrement de la matérialité physique de leur corps. Ainsi, un homme voyant une femme entrer dans un lieu public se croira autorisé à dire à haute voix qu'elle est belle ou laide, affligée d'une disgrâce physique ou comblée par les dieux, comme si cette femme était un objet vacant destiné à l'appropriation du premier venu. Quiconque ne dispose pas individuellement et socialement de son corps ne dispose pas non plus de ce qui peut être dit du corps, de sa nature, de sa fonction, de la rétribution de son travail.

La louange traditionnellement servie aux mères de famille d'accomplir un travail «inestimable» traduit littéralement la perte économique. En société marchande, ce qui ne peut être estimé, c'est-à-dire quantifié concrètement, monétairement, ne peut non plus être l'objet de rémunération. La difficulté que poserait cette rémunération (qui paiera? le chef de famille ou l'État qui regroupe des familles?), ajoutée au caractère intime de l'alliance matrimoniale, favorise l'amour, l'attachement corporel, le «don de soi», attitudes louables qui peuvent néanmoins conduire à la dépendance, aux abus et faux-fuyants.

L'attachement, qui fonctionne au sens propre et au sens figuré puisqu'il est physique, moral, matériel, masque le phénomène d'appropriation. La gratification psychique et physique paraît justifier la nature du rapport dont le caractère moral était souligné dans l'union traditionnelle (agir par devoir), et dont le caractère affectif et sexuel est reconnu dans l'union moderne (agir par plaisir). Elle masque également les enjeux d'un système qui ne saurait se maintenir autrement.

La dépendance affective qui lie la partie salariée et la partie non salariée constitue un facteur de stabilité sociale. Le salarié doit demeurer le support économique de la femme et des enfants qu'il aime, et donc continuer de vendre sa force de travail afin de pourvoir aux besoins de sa famille. En retour, la femme doit payer en nature l'assistance économique reçue, c'est-à-dire dispenser ses services gratuitement à la famille et demeurer en état de constante disponibilité affective et sexuelle pour satisfaire des besoins qui ne s'expriment pas qu'à l'intérieur du neuf à cinq des jours ouvrables.

Par ailleurs, la gratuité du travail domestique permet de maximiser les profits et de diminuer les coûts de l'unité familiale et de la collectivité. Si chacun des services distribués au sein de la famille était payé au prix de sa valeur réelle (éducation, repas, blanchissage, couture, tissage, soins infirmiers, entretien des lieux, etc.), les coûts dépasseraient le plus souvent le salaire du travailleur ou les ressources dont l'État dispose pour sa politique sociale. La marge de profits et l'équilibre budgétaire global ne sont possibles que si près de la moitié de la population est a priori exclue du marché du travail[3]. Mais au lieu de l'avouer et d'expliciter les conditions de production matérielle de la différence si souvent invoquée, on se rabat sur l'argument somatique. Ou encore, on exalte les valeurs affectives et morales qui favorisent un écart de gains, de statut, de privilèges, au sujet duquel les discours théoriques et littéraires s'interrogent en général assez peu.

Globalement, l'écart est celui-ci. Le social, qui utilise la valeur d'échange, fonctionne sur de l'économique, du politique, du rationnel. Le privé et le domestique, qui utilisent la valeur d'usage, fonctionnent sur de l'affectif, de la gratuité, de la matérialité corporelle. La distance maintenue entre ces deux mondes détermine les profits matériels et symboliques d'une société, d'un groupe, d'une classe. Mais cette topologie du profit demeure occulte. Masquée par le discours universaliste, elle est montrée comme une nécessité de la nature, non comme l'effet d'un rapport humain ou le produit d'une organisation sociale.

L'art d'acquérir

> Une chose possédée est un instrument qui sert à l'usage.
>
> ARISTOTE, *Politique*

Longtemps avant Marx, Aristote nous a appris que l'art d'acquérir n'est possible qu'en maintenant un écart entre ceux qui produisent des biens et ceux qui en font usage ou en tirent profit. C'est aussi lui qui a, le premier, exposé les conditions de production matérielle de la différence et précisé le lieu où se feraient sentir tous leurs effets.

Le premier traité d'économie politique produit en Occident établit une microsociologie des rapports d'inégalité fondant l'économie domestique. La *Politique* d'Aristote, considérée par son auteur comme la plus architectonique des sciences, énonce dès l'ouverture la nécessité du rapport maître/ esclave fondant l'économie domestique sur laquelle repose l'économie entière : « Les éléments de l'économie domestique sont précisément ceux de la famille, qui pour être complète, doit comprendre des esclaves et des individus libres [4]... »

Par ordre d'importance sont ensuite énumérés les rapports de maître à esclave, d'époux à épouse et de père à enfant qui prévalent au sein de cette cellule constituant la plus petite formation sociale où s'exerce « l'art d'acquérir ».

Qui veut pratiquer cet art doit s'approprier les instruments de production animés et inanimés permettant l'accumulation des profits. À ce titre, l'esclave, qui est « instrument animé », « propriété vivante », « fait partie du maître comme un membre vivant fait partie du corps », affirme Aristote avant d'émettre la prudente restriction, « seulement cette partie est séparée [5] ».

Si ce droit à la possession de l'instrument est clairement indiqué pour l'esclave, il reste sous-entendu pour l'épouse qui produit l'enfant et un certain nombre de services. L'ensemble des tâches domestiques sont comprises dans ce que le philosophe appelle les « sciences d'esclave », contrepartie de la « science du maître », dont l'exercice et la portée sont laissés à la discrétion du bénéficiaire.

> Il pourrait même y avoir encore un apprentissage
> de choses semblables, comme la cuisine et les
> autres parties du service de la maison. En effet,
> certains travaux sont plus estimés ou plus néces-
> saires les uns que les autres, et il y a, selon le
> proverbe, esclave et esclave, maître et maître.
> Toutefois, ce ne sont là que des sciences d'esclave ;
> la science du maître consiste dans l'emploi qu'il
> fait des esclaves ; il est maître, non en tant qu'il
> possède des esclaves, mais en tant qu'il se sert
> d'esclaves [6].

L'usage et l'avantage de la chose possédée découlent du
droit de possession. La qualité du traitement, le degré de
servitude dépendent du bon vouloir du maître. Lui seul
jouit du statut de sujet. Une possession qui ne s'accompa-
gnerait pas du droit d'usage ne créerait pas la dissymétrie
sujet/objet, commander/obéir, posséder/être possédé-e, fondant la sujétion dont dépendent l'acquisition de richesses
et l'élaboration de l'œuvre.

Le philosophe est formel : « il y a œuvre dès qu'il y a d'une
part commandement, et de l'autre, obéissance [7] ». Bien loin
d'être injuste, cette dissymétrie, qui place d'un côté la
partie productrice de biens et de services, et de l'autre, celle
qui en tire avantage, répond à l'ordre naturel des choses.
La nature inscrit dès le départ la différence d'espèce qui
entraîne la différence de statut : « Dès le moment de leur
naissance, quelques êtres sont destinés à obéir, les autres à
commander, et ils forment, les uns et les autres, des espèces
nombreuses [8]. »

L'argument naturiste confère à tout homme le droit de
commander à la femme — « le mâle est plus parfait, il
commande, la femelle l'est moins, elle obéit » ; mais bien
peu d'hommes auront l'avantage de commander aux mâles.
Fort heureusement, parmi ces derniers, il s'en trouve un
bon nombre « destinés par nature à l'esclavage », dont le
meilleur parti qu'on puisse en tirer est « l'emploi des forces
corporelles ».

La démocratie grecque offre l'égalité des droits pour tous les citoyens, mais n'est pas citoyen qui veut. En sont exclus l'étranger, l'esclave et la femme. Ces êtres des pourtours, qui œuvrent dans l'espace parallèle ou dans l'espace domestique en raison d'une insuffisance de qualités voulue par la nature, resteront gens des limites situés au bas de la pyramide sociale. On attendra d'eux ce que l'on attend des colonies [9] : la matière première requise par l'échange, leur corps fonctionnant comme lieu d'approvisionnement et d'entretien de la force de travail permettant la production et la mise en circulation de biens nécessaires au développement d'une société marchande.

L'énonciation par Aristote des différences naturelles qui déterminent l'inégalité des humains et leur rapport au droit de commandement et d'appropriation est assez rapidement suivie, dans *Politique*, de considérations sur l'échange où il est démontré que dans une société en expansion la monnaie apparaît — comme « signe de la qualité » — dès que l'exportation de la surabondance excède l'importation du nécessaire. Ce signe, qui soude la valeur d'usage à la valeur d'échange, console les gens d'affaires de jouer le rôle d'intendant. Car « cette science du maître » « n'a rien de bien grand ni de bien relevé », note le philosophe, puisqu'elle se réduit « à savoir commander ce que l'esclave doit faire » : « Aussi tous ceux qui peuvent s'épargner cette peine en laissent-ils l'honneur à un intendant, et vont se livrer à la politique et à la philosophie [10]. »

Philosophes et politiciens émettront par le discours le signe de la qualité qui les distingue. Ils cautionneront par la nature l'ordre social institué qui exige que la culture du proche se différencie de la culture du lointain et que le privé reste à distance du politique. À cet égard, la philosophie des essences, qui indiquera où et comment se démarque la différence, sera d'une extrême utilité.

Car les conditions de production matérielle de la différence se doublent toujours des conditions de production idéologique de celle-ci. Sans cette reconstruction mentale, une différence préexistante — ou créée, suggérée — ne saurait exister comme différence sociale culturellement acceptée. L'universalité, qui n'est qu'un des visages les plus aimables de l'impérialisme culturel, ne rend tous ses fruits qu'en recouvrant d'un discours justificateur l'appropriation des lieux corporels, sociaux, matériels soumis à son hégémonie.

---

1. Cette application du terme *impérialisme* aux formations modernes est parfois contestée. Mais se dire que l'ère des grands empires est révolue sous prétexte qu'il n'y a plus d'empereur et de structure administrative impériale, c'est oublier que, de l'Oder-Neisse au Pacifique, 360 millions d'individus vivent sous la domination soviétique, que, sur le territoire de l'ancienne Chine, 900 millions d'habitants sont forcés de prêter allégeance aux successeurs de Mao, et que, sur l'hémisphère américain, 600 millions de personnes sont sous contrôle direct ou indirect de Washington. Il est tout aussi illusoire de croire que les grands empires économiques et culturels n'existent plus quand on pense, par exemple, que 90% du marché et du contrôle mondial de l'informatique est entre les mains des Américains.

2. Quatre-vingt-dix pour cent des exportations du Tiers-Monde sont des produits primaires, mais 80% de ses importations sont des produits industriels. Ici même, avec les États-Unis comme principal partenaire économique, 70% de nos importations sont des produits industriels et 70% de nos exportations sont des matières premières et des produits non transformés.

3. Pour une démonstration plus complète, lire *Du travail et de l'amour, les dessous de la production domestique*, sous la direction de Louise Vandelac, Montréal, Éditions Saint-Martin, 1985.

4. ARISTOTE, *Politique*, traduction française de Thurot, Paris, Garnier Frère, 1926, 1,2,1.

5. *Ibid.*, 1,2,20.

6. *Ibid.*, 1,2,22.

7. *Ibid.*, 1,2,8.

8. *Ibid.*, 1,2,8.

9. Déjà avant l'impérialisme d'Athènes, les cités grecques avaient fondé des colonies dans le bassin méditerranéen, sur la mer Noire et en Asie, pour y trouver des terres et des matières premières, de même que pour y ouvrir des comptoirs commerciaux et fonder des établissements permanents.

10. ARISTOTE, *op. cit.*, 1,2,22.

3

LE DISCOURS
DE LA NATURE

*La philosophie est proprement nostalgie, aspira-
tion à être partout chez soi.*

NOVALIS

Une philosophie sans carte d'identité

> La connaissance conceptuelle n'est dans sa suffisance qu'un leurre grossier.
>
> Claire LEJEUNE

De tous les discours tenus sur la différence, la philosophie, l'un des plus déterminants, sut garder intacte sa réputation d'objectivité par son refus apparent de se compromettre avec les réalités historiques et sociales entourant son élaboration. Ainsi, la philosophie grecque qui imposa au monde sa vision des choses naquit dans un milieu économique et politique précis, mais la fascination de transcendance était telle que, lorsqu'on nous fit lire Platon, Socrate, Aristote, on oublia de produire leur carte d'identité.

Ces philosophes n'étaient pas des citoyens d'Athènes. Ils n'étaient pas des individus liés à des intérêts, à un territoire, des mâles appartenant au club d'hommes formant la cité impériale à construire et à défendre. Ils étaient la plus exquise émanation de l'intelligence humaine, la plus juste représentation de l'univers pensé, pensable, que pût s'offrir l'humanité. Pas un de nos vieux maîtres ne s'étonnait que ce discours, essentiellement européen, pût prétendre à l'universalité. Personne ne décelait, derrière les mots et les concepts, un corps socio-politique doté du pouvoir d'imposer aux autres son système de pensée. Personne n'y voyait l'expression d'un impérialisme culturel couvert des apprêts de la logique et de la métaphysique.

Tous ces textes suscitaient une adhésion aveugle. Nous poussions des hoquets d'horreur devant les atrocités des sauvages racontées par nos manuels d'histoire, mais nous épelions les syllogismes aristotéliciens comme nous récitions La Fontaine, Racine ou Corneille, remplis d'une adulation béate tempérée d'ennui. Là gisait la vérité, toute la vérité. À défaut de comprendre, il suffisait d'apprendre. Les vieux maîtres n'en demandaient pas davantage. La philosophie était partout chez elle. Nous ne pouvions demeurer étrangers à son langage. Si la mise en forme des concepts nous échappait souvent, leur mise en garde par contre nous rejoignait la plupart du temps.

Nous comprenions au moins ceci. La philosophie nous entretenait du lointain, d'un au-delà du proche tenu pour suspect ou négligeable. Le proche, c'était la maison, la famille, les femmes, les clans, le voisinage. C'était les fonctions du corps, le boire et le manger, les naissances et les décès, les bonheurs, les cataclysmes. C'était les événements locaux, les cycles naturels, la matérialité du corps. Le proche était partout où se consommait de l'énergie, de l'effort, de la matière humaine. La mesure de ce lieu était le quotidien ; sa représentation, un paysage familier dont nous ne pensions pas à tirer des cartes postales.

À l'opposé, le lointain c'était les théorèmes, la philosophie, les grands hommes, tout ce qui nous détachait du réel tangible pour nous projeter dans l'univers des concepts et de la transcendance. C'était là où s'énonçaient des principes et des vérités qui faisaient dogme. Là où prenait corps l'universel, catégorie invisible mais omniprésente qui ordonnait nos vies et nos pensées. Complice des valeurs d'échange qu'il s'abstenait de nommer, le lointain triomphait, validant l'ordre social proposé. Nous mettrions du temps à comprendre que le proche resterait sans signification, sans histoire, appréhendé par le caractère « naturel » qui déterminait son usage.

L'essence ou la vérité pensable

> La mise en forme est, par soi, une mise en garde.
>
> Pierre BOURDIEU,
> *Ce que parler veut dire*

L'emprise matérielle d'un groupe sur un autre s'accompagne toujours d'une emprise idéologique. La différence ne peut fonctionner comme réalité empirique inscrite dans des pratiques sociales et des faits quotidiens que si elle fonctionne aussi comme réalité conceptuelle.

La philosophie, prototype idéal du débat sur la culture et les rapports sociaux, est le lieu capital où se fait le marquage social. Or marquer, c'est effectuer un classement du vivant qui induit la division sociale. C'est indiquer la valeur et la fonction des différences sans lesquelles aucune hiérarchie et aucun système ne sauraient se constituer. Car toute société se construit par la délimitation des différences et leur mise en relation hiérarchisée créatrice d'ordre et de subordination [1].

En élaborant un système de pensée où s'énonce le rapport à l'universel et au particulier dans ses implications pratiques (la politique) et abstraites (la métaphysique, la logique), la philosophie grecque semble avoir éludé le problème de la différence plutôt qu'elle ne l'a résolu. Très à l'aise avec l'universel, la métaphysique semble toujours un peu gênée par le spécifique et le singulier. Aussitôt posés les grands principes qui opposent le Un au multiple et suscitent la recherche d'identité face au différent, la philosophie classique radicalise la distance nature/culture et produit un univers conceptuel hiérarchisé où triomphent le jugement de valeur et le rapport d'opposition.

Dans leurs cosmogonies et théogonies, les présocratiques avaient imaginé la formation de l'univers par interaction de forces créatives empruntant leur dynamisme à des principes hétérogènes masculins ou féminins, opposés ou

convergents. Mais, animés par la passion de l'unité, leurs
successeurs font de l'Être Un, pur de tout mélange — la
pensée qui se pense —, l'Être suprême considéré comme la
cause première fondant l'origine et la fin de tout. Platon,
qui ne voue pas une bien grande estime à l'espèce humaine,
anime un théâtre d'ombres où languissent des corps pri-
sonniers qui attendent la lumière de l'Idée pour s'affranchir.
Puis vient Aristote, qui lance la course à l'essence, point
central à partir duquel s'articulera désormais la pensée
philosophique.

L'essence suprême est contenue dans l'Être universel qui
trône au sommet de l'univers, d'où il domine l'être particulier
accablé de ses différences. En dessous logent les êtres
immatériels dotés de pensée, puis encore plus bas les êtres
matériels non pensants. Une même ordonnance pyramidale
structure le monde cosmique où les corps supralunaires
dominent les corps sublunaires soumis à la génération et à
la corruption, et le monde biologique où l'homme surpasse
l'animal qui lui-même surpasse la plante.

Sans cette hiérarchisation, l'unité — et l'unification vers
laquelle converge toute tendance centralisatrice —, ne
saurait être pensée. Il s'agit moins d'intégrer la différence
que de la subordonner. Les êtres et leur fonction sont
classés selon une échelle de valeurs qui en désigne l'importance qualitative. Cet étagement structural, qui fonctionne
de haut en bas, induit et réfléchit le social. Si l'esprit est
plus important que le corps, si des êtres sont plus parfaits
que d'autres, si des valeurs et des activités l'emportent a
priori sur d'autres, il en découle que certains êtres sont faits
pour dominer. Il s'agira d'individus possédant cette essence
exquise incarnée dans un prototype humain qui bénéficie
au départ de telle couleur de peau, de telle forme d'intelligence, de tel sexe, de tel régime de vie.

Par ailleurs, la forme déterminant le contenu, et tel contenu
appelant telle forme, il n'est sans doute pas présomptueux
d'affirmer que les considérations politiques d'Aristote se

trouvaient déjà dans sa métaphysique, et même sa logique où le monde est analysé sous forme de catégories universelles à partir desquelles sont dégagées des essences et élaborés des principes qui privilégient la notion d'unité et d'identité.

La différence est ici une forme opératoire exempte de toute particularité naturelle. Elle est l'heureux moment où elle se réconcilie avec le concept. Mais cela dure le temps d'un syllogisme. Nous avons tous en mémoire le syllogisme type des manuels de logique, qui prit si souvent dans nos esprits figure de comptine ou de refrain tautologique.

> Tous les hommes sont mortels,
> Socrate est un homme,
> donc Socrate est mortel.

Le rituel incantatoire ne conférait pas l'immortalité aux femmes et aux sous-hommes. Il n'inclinait pas davantage à se demander comment l'on aurait pu préjuger de la mort de Socrate et du concept d'immortalité si personne n'était jamais mort.

Le mode de connaissance qui présidait à cet échafaudage était d'ordre déductif. À partir de deux propositions initiales ayant valeur d'axiomes, l'on tirait une conclusion jugée nécessaire, guidé par trois grands principes. Le principe d'identité : ce qui est est. Le principe de contradiction : il est impossible que deux assertions opposées soient vraies de la même chose en même temps. Le principe du tiers exclu : il n'est pas possible qu'entre deux propositions contradictoires il y ait jamais un terme moyen.

Ces principes directeurs de la connaissance, qui, aux yeux de certains, ne semblent pas plus évidents que d'autres du même ordre, conduisent, dès que l'on s'écarte de l'univers quantifiable du type «deux et deux font quatre», soit à construire la démonstration sur des jugements de valeur, soit à l'articuler autour d'un cercle vicieux, les prémisses reposant sur des présupposés ou des généralisations empiriques [2]. L'ordre de la classification correspond à l'ordre social qu'il reproduit ou suggère par l'imposition de représentations mentales destinées à faire croire ce que l'on veut faire voir. Les classements théoriques contribuent à produire ce qu'ils désignent, une hiérarchisation des places à occuper, des rôles à tenir, du langage à utiliser, « l'accès de la classe distinguée à l'Être ayant pour contrepartie la chute de la classe complémentaire dans le Néant ou dans le moindre Être [3] ».

L'acte de catégorisation ne fait pas qu'imposer l'identité. Il impose la fonction. Il dit : tu feras ceci parce que tu es cela ; tu réaliseras ton essence en occupant telle place sociale, et, ton essence étant immuable, ta fonction le sera aussi. Le concept philosophique, comme tout concept, est à la fois forme et norme. Ce que l'on est détermine ce que l'on doit être et comment l'on doit être.

L'essence métaphysique, c'est l'essence sociale, donnée comme naturelle, contrôlée par le pouvoir qui sera lui-même montré comme l'émanation d'une qualité d'être et non comme l'expression d'une relation sociale instituée. Et puisque le pouvoir est l'institutionnalisation d'un rapport social dont la représentation se donne en termes d'universalité, les groupes dominants seront toujours universels, dotés d'une essence supérieure, alors que les groupes dominés auront toujours quelque chose de particulier qui trahira une essence inférieure.

Descartes, dans son *Discours de la méthode*, fait un pas de plus avec son cogito « je pense, donc je suis ». On affirme ici que l'essence de l'être singulier est de penser. Tant mieux pour ceux qui peuvent s'en payer le luxe. Tant pis pour ceux et celles que l'inaptitude ou l'illégitimité à penser raie du tableau des existants, ou dont l'appréhension de la vie s'effectue sur un mode plus charnel.

La méthode cartésienne qui emprunte à la dissociation narcissique la capacité de séparer, sur le coup d'une évidence expéditive, le sujet pensant de l'objet pensé servira la science et la technologie modernes. Mais, en situant la naissance du sujet au commencement absolu de la pensée, le cogito cartésien nie l'altérité. Le *je* du « je pense » consacre l'oligarchie du Même auquel les autres pronoms personnels serviront d'accessoire ou de renforcement. De surcroît, il pose l'idée d'un moi sans corps qui se regarde penser hors de la réalité des choses et du monde, trahissant la honte de l'origine charnelle qui dut se commettre dans la matière, au lieu où la nature parle le plus fort. Cette réticence du sujet face à la matière non pensante exprime la détermination de s'en tenir aux vérités pensables.

En philosophie, le pensable est la représentation abstraite et idéalisée du système qui le génère. L'universalité proposée désigne moins la somme des singularités existantes, ou même possibles, que la série des singularités acceptées. Cela a pour effet d'écarter du champ de la connaissance l'expérience concrète où le formel se vérifierait dans le social. L'une des grandes réussites de la philosophie sera de fonctionner en excluant toute référence à autre chose qu'au discours philosophique lui-même. Ce logocentrisme, qui conduit à l'absolutisation du texte, tend à unir dans un même appétit de présupposés les auteurs et les interprètes gagnés au système, produits par son ordre.

Dans la philosophie et ses discours dérivés, une chose demeure frappante. Alors que tout est culturel dans la considération de la différence utilisée comme forme abstraite, tout devient brusquement naturel lorsque la différence, assignée à des tâches concrètes, sert l'art d'acquérir, se prête à la valeur d'usage et à son instrumentalisation productive ou reproductive. Autant la prudence et la finesse imprègnent le discours dans la manière de penser l'être, l'essence ; autant la démonstration s'affole, est obtuse, voire grossière, lorsque la différence cesse d'être unité pensable pour devenir chose perçue, touchée, appréhendée dans un rapport de proximité corporelle où il n'y a plus d'échappatoire.

La philosophie des essences parle du lieu où elle se trouve, à proximité du pouvoir qu'elle symbolise, légitimise. Et c'est de ce lieu que lui vient sa capacité d'imposer, par des présupposés qui s'autorisent de l'universalité, un monde de pensée à la fois partiel et partial.

L'art de naturaliser la différence

> Il n'y a plus de corps et il n'y a que du corps, en images obsédantes.
>
> France THÉORET, *Une voix pour Odile*

Puisque l'impérialisme culturel ne tire profit de la différence qu'en maintenant un écart entre la différence réelle et la différence invoquée, le discours social inscrit dans cette pratique s'appliquera à préserver la stabilité de cette géographie sociale par l'établissement de mécanismes d'institutionnalisation de la limite.

Il faudra produire des marques qui distingueront nettement les deux espaces hantés par la différence. La périphérie sera placée sous l'emprise de la nature, clôturée par ses bornes. Le centre sera ouvert aux plus hautes réalisations culturelles. Mais la nature effraie. Pour tempérer la peur qu'elle suscite et amoindrir la honte des origines charnelles manifeste dans l'entreprise de catégorisation, on recouvrira celle-ci d'une nature intelligible qui présentera le visage rassurant de l'évidence.

Cette seconde nature porte le nom d'essence. Elle pose des frontières à la différence, lui indique son orientation, sa finalité. Mais pour que fonctionne la destitution de la nature réelle par la nature intelligible, il faut naturaliser la différence, c'est-à-dire lui donner un caractère nécessaire, inné. D'où l'argument «la nature le veut». Une différence sociale n'est efficace que si elle donne l'apparence de se fonder sur une différence objective. On emprunte donc à une différence préexistante l'argument naturel qui cautionne les différenciations imposées et appuie le discours sur la nature qui, au fil du temps, renouvellera ses arguments sans renoncer à l'idée de détermination et de finalité.

L'ancienne idée de nature entretient une conception finaliste des phénomènes sociaux. Liée à l'idée de fonction, elle dicte l'ordonnance sociale par l'essence en s'appuyant sur une nécessité naturelle. La nature d'une chose, d'une personne, d'un phénomène, prescrit son usage, son emploi, sa destination. L'économie domestique, l'économie sociale, la guerre sont des faits de nature ; l'esclave est fait pour appartenir au maître, la femme, pour se soumettre à l'époux. C'est le langage d'Aristote : « L'art de la guerre est en quelque sorte un moyen naturel d'acquérir [4]. » — « L'esclave fait partie du maître comme un membre vivant fait partie du corps [5]... » — « Le mâle est plus parfait, il commande ; la femelle l'est moins, elle obéit [6]. »

La pensée moderne greffera sur ce naturalisme ancien un déterminisme scientifique non moins contraignant. La nature jusque-là désignée par la minuscule sera désormais coiffée par la majuscule. Le concept de Nature tel qu'il apparaît dans l'Europe du XVIIe siècle se réfère à l'ensemble des caractères du monde sensible avant de signifier, au contact des sciences humaines et naturelles qui se développeront au siècle suivant, l'ensemble des lois régissant l'inerte et le vivant. On établira alors que la matière vivante contient sa programmation interne — donnée par l'instinct, le sang, la chimie, l'organisation du corps —, et que la structure présente dans chaque individu exprime l'essence du groupe entier.

D'importantes conséquences sociales en découlent. Cela implique que tel groupe occupe telle place dans la société non seulement parce que son anatomie l'y destine —« l'anatomie, c'est le destin », dira Freud —, mais encore parce qu'il est physiologiquement et structurellement organisé pour occuper cette place. Les différences sont indépendantes des rapports sociaux et des conditions matérielles d'existence. Elles préexistent à toute histoire et à toute organisation sociale puisqu'elles correspondent à des distinctions naturelles observées par la science. La voie est ouverte à tous les discours racistes qui attendaient cette caution pour satisfaire à l'exigence d'objectivité réclamée par l'histoire.

En Occident, le racisme est étroitement lié à l'expansion coloniale et au développement des impérialismes européoaméricains. Au XVIe siècle, les Espagnols défendent la légitimité de leurs conquêtes en territoire amérindien en opposant la grandeur de leur mission civilisatrice à l'infériorité naturelle des Indiens. Au siècle suivant, les premières argumentations du racisme biologique coïncident avec la recrudescence de la traite des Noirs. Le mot *race*, qui avait été jusque-là utilisé comme terme d'élevage, est appliqué aux humains. Par la suite se développent la biologie, l'anthropologie physique, la linguistique comparative et historique, sciences qui tendent à attribuer aux différentes races et ethnies des caractères psychiques et somatiques héréditaires.

Ces théories conduisent rapidement à exalter la supériorité des groupes dominants et à stigmatiser l'infériorité des groupes dominés. À la fin du XIXe siècle, l'Occident est convaincu que le monde se partage en deux clans. Il existe des races supérieures et des races inférieures, entre lesquelles ne peuvent exister que des rapports d'intérêt ou de curiosité. À cet égard, 1854 est une année faste. En France, Gobineau, théoricien de la supériorité blanche et aryenne, publie son *Essai sur l'inégalité des races*, dont le nazisme tirera plus tard profit. Aux États-Unis, les premières études sociologiques glorifient l'ordre existant. George Fitzhugh s'oppose au principe d'égalité défendu par la Déclaration d'indépendance américaine (*Sociology for the South : or the Failure of Free Society*), tandis que Henry Hughes fait l'apologie de l'esclavage (*Treatise on Sociology, Theorical and Practical)*[7]. Des circonstances motivent cette prolifé-ration de concepts et de publications à caractère racial. La multiplication des sociétés coloniales, l'importance de l'élé-ment noir dans le développement de l'économie américaine, l'acuité des luttes sociales et nationales européennes incitent à développer des théories ethnocentristes et racistes qui justifient l'exploitation des autochtones dans les pays colo-nisés, et contribuent à promouvoir l'hégémonie blanche divisée de l'intérieur par des conflits d'intérêts.

Le concept de différence biologique peut désormais valider des comportements et des partis pris utiles. On invoque donc tantôt l'indice céphalique ou hématologique (la forme du crâne, le taux de mélanine, les groupes sanguins); tantôt un détail du comportement (la façon de s'habiller, de penser, de se nourrir); tantôt un trait collectif (la paresse des Noirs, la cruauté des Amérindiens) pour appuyer une politique de domination. L'indexation d'éléments corporels comme le sang, la peau, les muscles, les gènes, la forme de l'organe reproducteur, etc., joue le rôle de marqueur dépré-ciatif. Ce qui vaut moins ne peut se trouver au même lieu, jouer le même rôle, détenir les mêmes droits et toucher les mêmes privilèges que ce qui vaut plus.

Le discours a changé de méthode, mais les conclusions restent les mêmes. La science a pris le relais de la théologie et de la philosophie dans l'établissement de la finalité. Le discours scientifique sur la nature, qui est à proprement parler un discours sur l'usage de la nature et des « êtres de nature », perpétue le concept de bonne nature et de mauvaise nature qui avait cours dans l'Antiquité. La première sert l'ordre établi, la seconde lui fait obstacle, mais les deux conjuguent leurs effets et leurs efforts pour servir l'impé-rialisme culturel qui préside à leur définition, à leur hiérar-chisation et à leur instrumentalisation.

Il apparaît maintenant que l'ethnocentrisme, tissu de pro-jections narcissiques et d'élaborations racistes plus ou moins poussées, animait la philosophie des essences. En rattachant à l'essence des personnes leur valeur et leur fonction, on posait les bases de rapports sociaux inégalitaires. Le racisme et le sexisme existaient comme stratégie de classification et idéologie de domination bien avant l'apparition du mot qui les désigna comme tels. Et ce n'est pas un hasard si les deux furent historiquement liés à des formes dérivées de l'économie domestique.

Les deux mettent l'accent sur une différence corporelle prometteuse de matière première et de force de travail permettant des bénéfices privés et publics. Les deux visent en outre à réduire ce qui de la nature paraît le plus étranger à soi, et donc le plus apte à susciter angoisse et séduction.

Une nature plus naturelle que les autres [8]

> [...] la culture trouve, en ce qui les concerne, le champ libre pour jouer le grand jeu de la différenciation [...].
>
> Claude LÉVI-STRAUSS, *La Pensée sauvage*

Si, historiquement, le discours sur la nature a touché différents groupes sociaux, il reste que c'est à l'égard des femmes qu'il est demeuré le plus constant.

Quels que soient le régime ou l'époque, c'est par la femme que s'effectue la jonction du monde naturel et du monde culturel posés d'abord comme disjoints. Sa capacité reproductrice, qui paraît avoir partie liée avec la nature, assure la constitution du groupe social et sa continuité. Mais ce point de jonction doit demeurer stable. S'il bascule du côté naturel, l'ordre social s'écroule. S'il glisse vers le culturel, son contrôle devient difficile, et sa valeur d'usage, incertaine. C'est donc là que la différence risque ses plus forts enjeux. Là que la notion de frontière sera le plus clairement délimitée et que l'entreprise de naturalisation s'avérera la plus assidue.

Ici encore, les Grecs nous ont devancés. Pour garder le monde domestique (lieu de l'esclave et de l'épouse) à l'écart du monde politique (lieu de l'homme créateur des institutions), on transpose les différences endogènes du privé au public, du corps au discours. Pour la plupart des philosophes, à commencer par Aristote, la femme est un homme manqué dont l'anatomie et la physiologie reproduisent l'homme en moins bien. Néanmoins la puissance de cette femme paraît menaçante. À celui qui veut être esprit pur capable d'auto-engendrement comme certains dieux, elle présente un corps issu de la copulation et affirme par le fait même que la vie — et la mort qui s'ensuit — vient de la différence contenue dans le chiffre deux.

De surcroît, la femme rappelle l'origine honteuse, l'échec du Un, sa compromission avec la matière corruptible. Aussi développe-t-on à son égard une attitude de défense qui se manifeste dans la loi, les interdictions, le savoir, les œuvres de fiction qui montrent la femme comme imprévisible et fantasque, gouvernée par ses humeurs. Elle envoûte par sa force mystérieuse, mais, trop proche de la vie, de la souillure, de la mort, elle renvoie l'homme à son animalité, compromettant sa quête de spiritualité et sa soif d'immortalité. Circée, prototype de la féminité dangereuse, use de ses charmes pour attirer à elle des hommes qu'elle transforme en pourceaux, à l'exception d'Ulysse, le seul à être épargné, qu'elle envoûte et destitue de son identité.

Assujettir la femme au discours, ce sera poser sur elle les marques qui indiqueront clairement la ligne de partage entre la nature dévoreuse d'identité et la culture instigatrice d'ordre, de cohérence, de progrès. Ce sera maîtriser sa force dangereuse, la rendre passive dans la physiologie de la reproduction et de l'accouchement, affecter tout ce qui est féminin d'un coefficient négatif. Aristote s'y emploie. Dans son *Histoire des animaux*, où il dégage les traits somatiques des agents reproducteurs [9], il prend la liste d'oppositions de valeurs en usage à l'époque (supériorité de la droite sur la gauche, du sec sur l'humide, de l'actif sur le passif, du dur sur le mou, etc.) et l'applique au phénomène de reproduction, attribuant la totalité des valeurs négatives au sexe féminin.

Ainsi, une femme qui porte un enfant mâle a meilleur teint, meilleur caractère, est moins sujette à « avoir des envies », des nausées, des vomissements, et à souffrir de rétention d'urine que celle qui porte un enfant femelle. Elle accouche plus rapidement et avec moins de douleur. Pour la même raison, un garçon est le fruit d'un « sperme granuleux » et occupe, comme embryon, le côté droit de la matrice, à l'opposé de la fille, fruit d'un sperme « sans consistance et sans grumeaux », qui loge dans la partie gauche du ventre maternel et naît en général plus tardivement et plus difficilement.

Ce marquage négatif des caractères de la féminité est effectué avec une égale démesure par Hippocrate et Galien, dont l'œuvre forme, avec celle d'Aristote, les bases de la science et de la médecine occidentales. Ce discours de la nature aura du succès. Aux XVIIe et XVIIIe siècles, une querelle retentissante oppose les ovistes, théoriciens de l'ovule comme matière fécondante, aux animalculistes, partisans du spermatozoïde. Au XIXe siècle, malgré les découvertes anatomiques et physiologiques, on continue d'affirmer que l'homme (blanc) est un cerveau, et la femme, une matrice. Au XXe siècle, quand la force de travail est supplantée par la machine, que la maîtrise de la nature s'affirme comme un facteur irréversible de progrès et que la femme contrôle davantage sa fécondité, l'idéologie courante avance encore l'argument de la spécificité naturelle qui prête à la femme une nature plus naturelle que les autres. Car si tombait l'un des trois piliers de l'universalité — le contrôle des mots, des biens, des femmes —, c'est tout un monde de représentation qui s'écroulerait, tout un mode de rapports sociaux qui s'effriterait.

C'est donc dans un climat passionné que l'on entend se multiplier les appels à la différence, ou évoquer avec nostalgie les traits de la féminité perdue. La résistance à la féminisation de la culture, de la langue, du social, témoigne de l'ampleur des intérêts et de la profondeur du débat. L'indistinction des sexes est une menace. Sur le plan pratique, elle remet en cause le système des oppositions fondamentales qui donnent leurs assises aux structures politiques, économiques, culturelles d'une communauté. Si la nature la plus naturelle ne peut plus être définie, contrôlée par la culture, c'est tout l'ordre social fondé sur la séparation de l'affectif et du rationnel, du domestique et du politique, du privé et du public qui risque de basculer.

Par ailleurs, à cette crainte d'une déstabilisation des rapports sociaux et d'une diminution des profits matériels et symboliques, s'ajoute, sur le plan psychique et conceptuel, une angoisse non moins aiguë. La levée des frontières réveille l'angoisse de la proximité. Si l'on ne peut plus garder, par le recours à la différence sexuelle, la distance vis-à-vis de l'Autre par qui arrivent la jouissance et la corruption, la mort et la vie, c'est tout le paradoxe de l'éternité, tout le refoulé du sexe et le défi de l'altérité qui refluent à la conscience sans y trouver de résolution assurée.

On comprend donc pourquoi les pouvoirs s'énervent. Pourquoi les savoirs et les institutions s'accrochent aux anciens modes de marquage de la différence, parmi lesquels figure a priori la langue, produit et condition de toute culture, de toute idéologie.

---

1. Pour une démonstration plus complète, voir Georges BALANDIER, *Sens et Puissance*, 2ᵉ édition, Paris, Presses Universitaires de France, (Collection « Quadrige ») p. 49–51.
2. Critique formulée par Bertrand RUSSELL, dans *Problèmes de philosophie*, Paris, Petite bibliothèque Payot, 1980, p. 85–94.
3. Pierre BOURDIEU, *Ce que parler veut dire*, Paris, Fayard, 1982, p. 134.
4. ARISTOTE, *Politique*, 1,3,8.
5. *Ibid.*, 1,2,20.
6. *Ibid.*, 1,11,12.
7. Danielle JUTEAU-LEE, « Visions partielles, visions partiales : visions (des) minoritaires en sociologie », dans *Sociologie et sociétés*, vol. 13, nº 2, (octobre 1981), p. 38.

8. L'expression est de Colette GUILLAUMIN, « Le discours de la Nature »,
   dans *Questions féministes*, n° 3, (mai 1978).
9. Ainsi, il n'est pas loin de penser, comme le clamera 2 000 ans plus tard
   un texte publicitaire, que les blondes ont plus de plaisir que les brunes
   parce qu'elles « émettent naturellement une plus abondante humeur »
   (*Histoire des animaux*, 1,7,2).

4

LE GÉNIE DE LA LANGUE
OU
LE CALQUE D'UN LIEU

Moi, dit Humpty Dumpty sur un ton méprisant, quand j'utilise un mot, je lui fais dire exactement ce qui me plaît, ni plus ni moins. — Mais il faudrait savoir, dit Alice, s'il est possible de faire dire tant de choses aux mots. — La question est simplement de savoir qui est le maître, dit Humpty Dumpty, un point, c'est tout.

Lewis CARROLL

La passion de la célébration

Chez eux tout est discours, farine de discours.

NIETZSCHE

À l'intérieur du système linguistique, on ne peut contrôler la différence qu'en produisant comme invisible, détaché des réalités sociales, le lieu d'émission de la norme.

On a tous un jour ou l'autre entendu célébrer le «génie de la langue française», sa «beauté», sa «clarté», sa «pureté». Ces éloges à caractère anthropomorphique, qui entendaient souligner le caractère naturel de la supériorité d'une langue sur les autres, donnaient comme absolues des pratiques langagières instituées par une communauté linguistique. Le rituel de célébration prêtait à la langue une essence intrinsèque voulue par la nature, grande organisatrice et régulatrice des rapports humains.

Cette langue géniale n'était pas celle de n'importe qui. Elle était la «langue universelle», la langue *standard* décrite dans les ouvrages de référence publiés à Paris, divulguée par ses milieux institutionnels, illustrée par ses grands auteurs. Cela n'incluait pas, ou incluait bien peu, le reste de la francophonie, qui relançait dans un mimétisme exemplaire la querelle des accents et les exhortations au bon usage : dites ceci et non cela, rouler les *r* fait paysan, telle tournure est condamnable, telle autre est conforme à l'esprit de la langue, tel féminin blesse l'oreille, tel autre la ravit.

Le génic de la langue use d'une singulière justice distribu-
tive. Est jugé conforme ce qui dans le vocabulaire, la
morphologie, la syntaxe ou la prononciation reproduit la
langue utilisée par le centre d'où viennent les critères et les
outils d'évaluation. Est considéré comme étrange, ou
étranger à la norme, ce qui émane de la périphérie, ces
enclaves secondaires qui sécrètent les régionalismes, les
tours désuets, le pittoresque, les anomalies. Comme la
langue proposée par les dictionnaires, les grammaires, les
lexiques et les traités de phonétique décrit le français
français, tout particulièrement le français de la bourgeoisie
parisienne, dire *new look* et *parking* vous situe dans les
arcanes du français international, mais risquer *brunante,
septante* ou *ambianceur* vous refoule dans les marges
retardataires et débilitantes du sous-développement
culturel.

Cette conception de la langue entend moins décrire ou
concilier l'ensemble des usages d'une langue au sein d'une
même communauté linguistique que marquer la distance
qui sépare le centre de la périphérie. En s'appropriant le
privilège de sanctionner la périphérie, le centre institue un
rapport de subordination qui influence les comportements
langagiers, modifie leur réception, leur transmission et leur
évolution. Et comme l'ensemble des rapports linguistiques
ont tendance à se structurer de cette façon, tout groupe
appartenant à l'aire la plus centrale de la configuration des
pouvoirs devient à son tour habilité à sécréter des sous-
langages et des sous-accents à partir des mêmes critères, le
plus lointain étant subordonné au plus proche, le plus
faible au plus fort, le plus pauvre au plus riche. Ainsi la
langue parlée à Matane ou Moncton prend, au regard de
Montréal, une coloration tout aussi régionale que les
langues parlées à Brest, Montpellier, Dallas et Lowell au
regard de Paris ou New York.

Le génie de la langue, les trésors de la langue, ce sont de
jolies formules masquant ce qui, des avoirs et des pouvoirs
d'une collectivité, s'abrite derrière la norme figurant dans

nos dictionnaires et nos grammaires. Comme le rappelle si justement un texte publicitaire de Radio-Canada : « Les dictionnaires ne tombent pas du ciel ! »

Les ruses de la définition

> Et la langue est vieille aussi et les mots sont fatigués de défendre leur sens.
>
> Hélène CIXOUS, *Le livre de Promethea*

Au *Petit Robert*, édition 1987, dans les exemples d'emplois du mot *couleur*, on trouve « *Homme, femme de couleur*, qui n'appartient pas à la race blanche (se dit surtout des Noirs). » Au mot *homme*, on trouve deux définitions : I. « Être appartenant à l'espèce animale la plus évoluée de la Terre » ; II. « Être humain mâle. » Pour le mot *femme*, trois définitions que ne désavouerait pas Aristote sont avancées : I. « Être humain du sexe qui conçoit et met au monde les enfants (sexe féminin) ; femelle de l'espèce humaine » ; II. « Épouse » ; III. « Domestique. »

Le mot *race*, pour sa part, inclut les acceptions suivantes : I. « Famille, considérée dans la suite des générations et la continuité de ses caractères (Ne se dit que de grandes familles, familles régnantes, etc.). » II. « Subdivision de l'espèce zoologique, elle-même divisée en sous-races ou variétés, constituée par des individus réunissant des caractères communs héréditaires. » III. « Groupe ethnique qui se différencie des autres par un ensemble de caractères physiques héréditaires (couleur de la peau, forme de la tête, proportion des groupes sanguins, etc.) représentant des variations au sein de l'espèce. » — « *Par extension*. Groupe naturel d'hommes qui ont des caractères semblables (physiques, psychiques, culturels, etc.) provenant d'un passé commun. »

Si je poursuis le jeu du repérage des définitions, je vois le mot « brunante », pour « tombée de la nuit », classé dans les

régionalismes avec indication d'origine (*Canada*). Je vois
« souper », utilisé en Belgique, en Suisse, au Québec, dans
plusieurs pays d'Afrique et dans plusieurs régions de
France, étiqueté *Vx ou région*. Dans l'esprit du dictionnaire,
régionalisme signifie « qui n'est pas d'un usage général ou
qui est senti comme propre à une région » ; et *vieux* doit être
entendu comme « incompréhensible ou peu compréhensible
de nos jours et jamais employé, sauf par effet de style [1] »...
Je continue de tourner les pages. « Ça fait ringard », *familier*,
pour « démodé, médiocre » ; « brique », *argot*, pour « un million d'anciens francs » ; « aller en taule », *argot*, pour « aller
en prison » ; « merdique », *familier*, correspondant à « mauvais », « sans valeur », ne comportent aucune spécification
de lieu. Voilà enfin des mots qui appartiennent au pur
français universel.

Dans tous ces exemples, on étiquette la différence raciale,
sexuelle, géographique et sociale, conformément au double
but exposé dans la préface du dictionnaire : « La *définition*
est une courte formule destinée à recouvrir exactement et à
suggérer ce qu'on appelle *le sens*, c'est-à-dire l'ensemble des
valeurs d'emploi d'une suite de sons, de lettres, qu'il s'agisse
d'un "mot" ou d'une expression [2]. »

Recouvrir et suggérer. L'aveu est clair. Un dictionnaire
n'est pas qu'une machine à rêver. Il est aussi un instrument
idéologique : il prescrit l'usage autant qu'il le décrit. Car
une définition ne se limite pas à énumérer des valeurs
d'emploi, elle les impose. Examinons comment fonctionne
le constat prescriptif à propos des mots *couleur*, *homme*,
femme, *race* mentionnés ci-dessus.

— Pour chaque définition, il existe un pôle de référence
implicite, central, d'où émane l'ordre des mots et des choses.
Ainsi, la race noire est définie par rapport à la race
blanche, la femme par rapport à l'homme, le parler régional
par rapport au français métropolitain, le langage familier
par rapport au langage neutre.

— Ce référent implicite qui fonde la règle, et l'impose comme valeur absolue, constitue le point stable du sens déterminant l'usage, tout aussi fixe, du mot et des conduites qui s'y rattachent. Deux mille ans après Aristote, le Noir est toujours décrit par la couleur, et la femme, par le sexe, spécificités naturelles créatrices de différence.

— La définition déduit la fonction sociale de la qualité d'être produite par le classement. L'homme est homme sans indication de fonction ; de le situer au sommet de la hiérarchisation de l'espèce animale induit qu'il occupera une position correspondante. Mais pour la femme, les rôles sont clairement indiqués : sa nature de femelle la destine à être mère, épouse et domestique. Et l'individu de couleur, dont la différence est définie sous le mode négatif par la mise à l'écart formelle — « qui n'appartient pas à la race blanche » —, peut s'attendre à une mise à l'écart sociale équivalente.

— La différence est pensée en fonction d'un rapport social immuable dont la nature autorise la légitimité et la pérennité. L'ordre social découle de l'ordre naturel. Bien avant qu'interviennent la définition et la classification, les êtres et les choses se sont ordonnés spontanément en groupes et sous-groupes hiérarchisés : « l'espèce zoologique, *elle-même divisée* en sous-races » ; la race, « *groupe naturel* d'hommes » ; la femme, « être humain *du sexe* », etc. On occupera telle place parce que le veut la nature, l'hérédité, le lieu géographique, et non l'instance de pouvoir qui régit le rapport social et fixe la définition.

— La définition est émise par une entité anonyme invisible qui semble échapper à ce rapport et aux intérêts qui s'y rattachent, si bien que l'on donne comme réalité absolue un simple constat des effets. Ainsi, le sexe, la couleur de la peau, le lieu de provenance sont utilisés comme critères de classification, sans égard au sexe, à la couleur et au lieu d'origine de celui qui effectue le classement.

— Aucune définition n'explicite jamais pourquoi le rapport de sexe est plus déterminant que le rapport de race (un Noir reste un homme, alors que la femme n'est qu'une *femelle* ou un *être humain du sexe*), ni pourquoi le lieu géographique commande une catégorisation plus marquée que le niveau de langue (*merdique* reste du français international, mais *brunante* et *septante* sont des régionalismes).

— La définition place l'usage d'un mot à l'origine du sens, laissant croire que le lexique qui recouvre le réel est mû par des lois intrinsèques totalement détachées des lois historiques, sociales, politiques qui agissent ce réel. Ainsi, l'hérédité peut tout autant conduire les « grandes familles » au pouvoir que condamner certains groupes ethniques à souffrir de traits somatiques discriminants : « couleur de la peau, forme de la tête », etc.

— La classification qui précède la définition ne craint ni les jugements de valeur « *senti comme propre à* » (senti par qui ?), « *incompréhensible ou peu compréhensible* » (incompréhensible pour qui ?) ni la contradiction (un mot utilisé sur trois continents et parlé par une dizaine de pays « *n'est pas d'un usage général* », mais n'importe quelle fantaisie argotique satisfait au critère d'universalité.

Nous pourrions ainsi continuer de montrer comment, à partir de cet outil de marquage qu'est le dictionnaire, se construit et se divulgue le discours sur la différence justifiant, à l'intérieur du champ linguistique, la théorie de l'écart. C'est à quoi s'applique, par exemple, Paul Rouaix dans son *Dictionnaire des idées suggérées par les mots* où, cette fois, l'intention est avouée dans le titre. La séquence *homme* illustre un rapport social articulé sur un rapport d'âge, de force physique, d'affirmation individuelle.

> *Homme : créature humaine, individu, individualité, personnalité, personne, quelqu'un, quidam, semblable, autrui, particulier, paroissien, prochain, mortel, les humains, humanité, amphisciens, antisciens, perisciens, sexe masculin, sexe*

> *fort, humain, viril, enfant, adolescent, homme fait, vieillard, anthropologie, anthropomorphisme, anthropophagie, cannibalisme, anthropométrie, homicide.*

La séquence *femme* induit un rapport social dérivé du sexe et de l'apparence, ayant comme lieu d'exercice le foyer ou le harem.

> *Femme : sexe féminin, sexe faible, beau sexe, fille d'Ève, cotillon, jupon, quenouille, gynécée, harem, sérail, bambine, fille, fillette, demoiselle, jouvencelle, ingénue, Agnès, vierge, formée, nubile, caillette, nonnain, tendron, jeune personne, femmelette, miss, milady, mistress, lady, épouse, dame, matrone, vieille fille, blonde, brune, brunette, rousse, beauté, bas-bleu, mondaine, femme du monde, femme d'intérieur, ménagère, laideron, maîtresse-femme, péronnelle, commère, maritorne, mégère, hommasse, virago.*

Ce dictionnaire fait sa besogne. Il joue, comme le souligne la linguiste Marina Yaguello, un «rôle de fixation et de conservation, non seulement de la langue mais aussi des mentalités et de l'idéologie[3].» Il n'y a rien d'étonnant à ce que les dictionnaires modernes répètent Aristote. La définition s'insère dans un champ conceptuel déjà constitué. Comme le concept, elle fonctionne comme instrument de classification, de catégorisation et d'ordonnance sociale. Elle annonce le réel autant qu'elle l'énonce et le remémore. Elle crée ou reproduit des perceptions qui autorisent un usage de la différence conforme aux pratiques sociales développées par telle société ou telle classe d'individus à telle époque.

Hugo n'avait pas tort de dire que toute révolution devrait s'accompagner d'une révision du dictionnaire. Le dictionnaire est le petit catalogue illustré de la langue. Et la langue est un système de signes qui, comme tout système de signes, implique une référence aux notions de valeur et de hiérarchisation constitutives d'une société. Mais pour que le pouvoir symbolique et politique porté par les mots soit crédible, il faut faire appréhender les différences de sens, à l'égal des différences sociales, comme l'expression d'une loi naturelle.

La norme qui prescrit le bon usage sera donc présentée comme une donnée naturelle. On la produira comme induite par des espaces géographiques (les territoires de l'atlas, du corps, du sexe), des particularités physiques ou physiologiques (l'accent, la couleur, la saveur), un usage universel ayant force de loi (l'usage du centre éclipsant tous les autres usages).

Défense et illustration de la norme

> Quand on dit « la langue », on désigne en fait la variante de la langue qui est l'objet habituel de la description et qui servira de base de comparaison par rapport à laquelle on classera et on évaluera les autres variantes.
>
> Jean-Claude CORBEIL, *La Norme linguistique*

Aucune rencontre internationale ne se tient au Québec sans qu'une voix autorisée — la voix métropolitaine la plupart du temps — ne s'élève lors d'une séance plénière ou à l'occasion d'une intervention journalistique pour louer l'ampleur de nos espaces, la saveur de notre accent, la chaleur de notre hospitalité.

L'éloge ne vise jamais la vigueur des idées que nous pourrions émettre ou l'originalité des thèses que nous pourrions défendre. Nous n'existons que par l'effet carte postale, cette générosité besogneuse et ce parler folklorique qui nous représentent comme êtres de nature dotés d'habileté domestique. Voués corps et âme à la fonction nourricière, nous n'avons ni le temps ni la capacité d'élaborer des spéculations intellectuelles. Nous sommes la ménagère timide et rougissante à qui l'homme cultivé lance sur le seuil, après un dîner où il a brillé par son esprit, « merci, madame, votre tarte aux pommes était exquise ».

Cet exemple, si bénin soit-il, illustre un comportement qui se vérifie ailleurs, de façon plus outrée, dans l'évocation des palmiers royaux ou des champs de bananes, dans la louange de la beauté des femmes, des ivresses tropicales et des orgies vaudouesques. Il exprime la compétence statutaire de qui occupe une position centrale à dénombrer les deux ou trois traits spécifiques qui caractérisent le groupe attaché à la fonction de service. Comme dans la plupart des cas où la différence est soulignée par qui se croit investi du privilège de la nommer, une double particularité est évoquée. On énonce en même temps l'essence naturelle du groupe et sa disqualification culturelle. Cet accent, ce paysage, ces vertus domestiques placées sous le signe de la nature désignent l'inaptitude à exercer une fonction intellectuelle.

L'échange linguistique se renforce de ce qui le soutient. On retient souvent moins la manière de dire ou la matière de ce qui est dit que l'espace social dans lequel les choses sont dites. Un message émis par le groupe qui détient le contrôle de l'échange est susceptible d'être considéré comme exemplaire, primordial. À l'opposé, les propositions émises par le groupe défini par sa valeur d'usage risquent d'être reconnues comme secondaires ou négligeables, ce groupe étant lui-même perçu comme une globalité instrumentale peu signifiante et différenciée. La légitimité à être entraîne la légitimité à dire sanctionnée par la norme, qui a pour première fonction d'indiquer l'écart qui sépare le centre — lieu où l'on crée le sens et oriente les messages — de la périphérie où tous ces effets sont absorbés.

C'est donc moins la spécificité d'un fait qui est nommée que la nature d'un rapport. Un groupe parle, manie des énoncés qui révèlent son appartenance au monde central habilité à effectuer des échanges économiques, linguistiques, symboliques. L'autre livre une parole brute dont on retient les caractéristiques naturelles destinées, à l'égal des gestes et du comportement, à la consommation quotidienne. Un groupe fait du sens, l'autre du son. L'un produit des idées, émet un savoir, affiche sa compétence linguistique. L'autre accomplit des tâches qui ne nécessitent aucune formation précise. Son individualité se dilue dans l'insignifiance de la fonction hospitalière exigeant de la patience, de l'amabilité, des vertus plutôt que des qualifications, des dispositions morales plutôt que de l'adresse ou de la maîtrise.

La norme, dit *Le Petit Robert*, c'est « ce qui dans la parole, le discours, correspond à l'usage général ». Nous savons déjà que le général et l'universel sont des catégories qui servent à désigner le centre. Il faut donc entendre par norme le bon usage linguistique central. L'Académie française préférera toujours le « campisme » au « camping » et ses « petits pois » à nos humbles « pois verts ».

Cette prédominance de la centralité à l'intérieur du fonctionnement linguistique ne date pas d'hier. Elle a prévalu en 1539 dans la promulgation de l'édit de Villers-Cotterêts, qui consacrait le francien au détriment des autres usages régionaux de France. Le choix de ce dialecte ne fut nullement motivé par quelque raison esthétique ou phonique. La logique de la langue est la logique de l'histoire. Le francien était parlé dans l'Île-de-France, où se fixa le pouvoir royal et sa cour. Eût-on choisi le Sud, préféré Nice ou Marseille, que nous parlerions aujourd'hui la langue d'oc et vanterions le génie du parler niçois ou marseillais.

La légitimité d'une langue, son rayonnement, ne relève pas a priori de facteurs linguistiques. Une langue, c'est un dialecte qui a réussi. C'est le parler d'un groupe qui s'est un jour doté d'une armée, d'un commerce extérieur, d'institutions de contrôle capables d'imposer et de faire circuler des productions économiques, culturelles, linguistiques à l'intérieur et à l'extérieur de son territoire.

L'usage linguistique qui prédomine au sein d'une communauté est celui qu'imposent les pouvoirs politique, religieux, militaire, économique qui le soutiennent, l'un ou l'autre de ces pouvoirs prévalant selon l'époque et les modalités de l'organisation sociale. Sur ce fond structurel se développe ensuite l'ethnocentrisme culturel qui incite à considérer son comportement linguistique comme le meilleur ou même le seul légitime. Ajoutons à cela des visées ostracisantes ou assimilatrices nourries par l'appétit de pouvoir, et nous nous trouvons en présence d'une langue forte, centrale, dont personne n'interroge la pertinence ou la validité.

La langue est un véhicule d'expression qui porte constamment des messages. Parmi ceux-ci figurent des rôles, une hiérarchisation verticale et horizontale qui reproduit les zonages mentaux, culturels, sociaux, servant l'idéologie de différenciation. Le rapport au langage est avant tout un rapport au monde économique, social, historique qui contribue à sa structuration et donne le ton aux échanges linguistiques qui s'ensuivent et à leur motivation psychique.

La linguistique traditionnelle qui concentre ses efforts sur la norme, et s'épargne par le fait même la prise en considération des rapports institués entre les groupes utilisateurs d'une même langue, est elle-même un effet du système. L'examen des variantes linguistiques ferait ressortir l'ensemble des faits de langue propres à tel groupe vivant dans tel environnement socio-culturel. Le repérage et la stigmatisation des écarts soulignent l'insuffisance et les limites justifiant l'entreprise de naturalisation. Ce sont toujours ceux et celles qui habitent les pourtours qui sont fautifs, étranges, périmés. Et ils le sont en vertu d'un penchant naturel qui influence non seulement le choix des mots (le vocabulaire) mais le caractère physique de leur émission (l'accent, l'articulation, le débit).

Car la propension à naturaliser la différence se manifeste d'abord par la tendance à distinguer chez l'autre ce qui se trouve au plus près du corps et semble le plus spécifiquement lié aux organes de phonation. Quand vous habitez le centre, vous n'avez jamais d'accent. Quand vous logez ailleurs, vous en avez toujours un. Vous grasseyez ou vous nasalisez, vous accumulez les diphtongues ou vous écrasez les *i*, vous escamotez les *t* ou vous roulez les *r*. Vous parlez trop vite ou trop lentement. Vous avez l'accent tonique trop fort ou trop mou, l'aperture défaillante ou déplacée.

En outre, vous mangez vos mots, ce qui signifie que vous ne mangez pas le même pain et ne buvez pas la même eau ou le même vin. Car de même que le système de la langue renvoie à l'ensemble des systèmes socio-culturels où il prend corps et s'exerce, la position articulatoire de la personne qui parle renvoie à sa position intra et extragroupale. Parler gras, parler petit nègre, parler joual, méridional ou antillais, c'est parler de la manière dont on vit à la périphérie. C'est raconter qui y fait la loi, contrôle l'argent, possède des biens. C'est dire qui fabrique les dictionnaires et les grammaires, qui exerce les compétences majeures, dont celle de bien parler la langue du groupe dominant.

Le petit monde des régionalismes

> Les innovations nées à Paris ne se répandent pas nécessairement dans toute la francophonie ; il y a donc dans les français régionaux de nombreux archaïsmes.
>
> *Le Bon Usage*

Lorsque la périphérie parle, le centre est parfois dur d'oreille. C'est au Québec que revient l'initiative d'avoir créé la première banque de terminologie française du vocabulaire scientifique et technique [4]. Mais le centre nous imagine toujours vivant sur une terre paysanne qui a gardé la truculence rabelaisienne et l'accent des valets de Molière.

À l'intérieur du système linguistique, une façon efficace de naturaliser la différence consiste à effectuer un marquage des vocabulaires périphériques qui laisse transparaître leur lieu de provenance chaque fois qu'on veut produire l'écart qui souligne leur déviation du modèle général.

Puisque le concept de langue *standard* — euphémisme pour langue centrale — n'admet qu'un usage régional de la langue, l'évaluation des autres usages empruntera à l'atlas l'indice différentiel qui laissera à la géographie le soin d'établir les degrés de pertinence consentie.

Le petit monde des régionalismes, fief des anormalités indexées par la norme, s'étalera donc autour de l'Hexagone selon une ordonnance concentrique «naturelle» qui empruntera tantôt à la proximité géographique, tantôt à la proximité culturelle l'orientation des zonages fixés. Dans l'indexation du vocabulaire, les régionalismes intrahexagonaux, qui figurent depuis longtemps au dictionnaire, l'emporteront sur les régionalismes européens et nord-américains, qui seront eux-mêmes objet de plus d'attention que les africanismes.

En français, trois formes de marquage sont utilisées par les lexicographes pour indiquer le degré d'intégration des régionalismes extrahexagonaux à la norme centrale.

— *L'exclusion totale* : Aucun régionalisme ne figure au dictionnaire, soit qu'on les refuse, qu'on les ignore, ou qu'on attende la fin des travaux en cours pour inclure les mots susceptibles d'être agréés. C'est l'attitude du *Dictionnaire Hachette de la langue française*, 1980, et du *Dictionnaire usuel illustré*, Quillet-Flammarion, 1980, vis-à-vis des régionalismes de souche paneuropéenne. C'était celle de la plupart des lexiques envers les africanismes jusqu'à la parution du colossal *Inventaire des particularités lexicales du français en Afrique Noire* préparé par les Africains (AUPELF et ACCT, 1980-1981).

— *L'inclusion partielle* : Un certain nombre de mots, et leur sens, sont intégrés à la nomenclature du dictionnaire avec spécification du lieu d'usage. C'est la position adoptée dans *Le Petit Robert* et le *Lexis*

de Larousse, 1979, qui incluent, outre les régionalismes de France, certains régionalismes répertoriés
en Belgique, en Suisse et au Québec.

— *L'inclusion discriminante* : Les régionalismes sont
placés en annexe dans des listes séparées qui isolent
ces variantes lexicales de la nomenclature officielle.
Sur ce principe, le *Dictionnaire du français vivant*
de Bordas, 1972, place dans des listes séparées
clairement identifiées les belgicismes, canadianismes
et helvétismes à connotation folklorique ou coloniale.

Ces marques classificatoires qui soulignent le caractère
extrahexagonal du lexique mettent l'accent sur la localisation régionale des locuteurs d'où semble découler la
position occupée dans le champ linguistique. Mais cette
référence spatiale, qui joue le rôle de marqueur, désigne
moins un espace géographique qu'un espace social. Elle
indique le degré d'éloignement qui sépare, dans le champ
des droits et des privilèges, telle aire géographique et
sociale du lieu d'origine et de gestion de la norme.

La présentation des ouvrages est à cet égard révélatrice.
Les franges lexicales périphériques semblent n'exister que
pour l'amusement ou les profits que peut en tirer le centre :
la satisfaction d'un besoin, l'agrandissement de l'aire
d'influence, le plaisir de jouer au magister et d'accoler,
comme dans *Télé-Presse*, « S.-T. pour les malentendants ».
Ainsi, le *Dictionnaire du français vivant* de Bordas ne
supprime que dans son édition de 1979 le commentaire
accompagnant les quelques helvétismes, belgicismes et
canadianismes « les plus typiques » (satisfaire le besoin
d'exotisme) figurant dans des tableaux à part « à titre
purement documentaire » (satisfaire la curiosité), pour que
les lecteurs non français puissent saisir l'écart qui sépare
leur vocabulaire « du vocabulaire français » (satisfaire le
besoin de marginalisation) :

> [...] nous présentons en fin d'ouvrage des tableaux
> des principaux belgicismes, canadianismes et
> helvétismes afin que nos amis de Wallonie, du
> Québec, de la Suisse romande puissent voir en
> quoi leur vocabulaire *diffère du* vocabulaire
> *général français* [5].

Le ton est désinvolte, familier. On se croirait à une réunion
d'anciens légionnaires. Les Antillais et les Africains
n'étaient pas conviés à la fête. Ils ne faisaient pas partie du
club économique et linguistique qui tenait le discours de la
langue sur la langue.

Le *Dictionnaire Hachette de la langue française* trouve,
pour sa part, que les mots régionaux sont «d'une appré-
ciable saveur [6]» (satisfaire le besoin culinaire). Alors que
Le Petit Robert, plus soucieux d'exactitude, souhaite expliquer «au lecteur non québécois la valeur de(s) termes qui
pourraient être mal compris [7]» (satisfaire le besoin de
communication). Cela ne s'effectue pas sans peine. De
passage à Montréal, la secrétaire générale de la rédaction
des dictionnaires Robert avoue: «J'ai eu l'impression d'y
introduire des corps étrangers. Pour le Français moyen, ces
mots ne veulent rien dire [8].»

L'aveu confirme le droit de propriété sur la langue et avoue
la finalité de l'entreprise: le dictionnaire fabriqué par le
centre est avant tout destiné au centre. Il souligne en outre
le caractère naturel de l'opération. Le dictionnaire, à l'image
du corps physique, peut développer des phénomènes de
rejet à l'égard des éléments étrangers qui viennent s'y
greffer. La réticence des lexicologues parisiens, face au
lexique extérieur, relève par conséquent d'une réaction
naturelle et non d'un choix idéologique.

Les régionalismes ont d'ailleurs tout du fait de nature. Ils
goûtent bon ou mauvais, ils ont de la couleur, un rythme,
une spécificité physique, géographique, qui les rend *différents du* français métropolitain. Tant d'efforts de naturalisation sont parfois récompensés. «Le québécois, ce n'est

pas une langue, c'est une musique [9] », avoue un extra-hexagonal à une journaliste parisienne qui enquête sur la question.

Néanmoins le vent tourne. Des changements d'attitude imposés par des raisons intra et extralinguistiques tendent aujourd'hui à faire reconsidérer la question des régiona-lismes. Le centre ne tient plus guère de colloques sur « les ethnies francophones » ou sur « le français en France et hors de France ». La périphérie a fini par découvrir que ce qui s'imposait comme « français universel », comme « fran-çais standard » à norme unique, ne désignait pas l'ensemble des usages de la langue française au sein des communautés francophones, mais un usage particulier du français corres-pondant à celui des locuteurs instruits regroupés autour de l'axe Paris-Touraine.

D'autre part, on n'a pu éviter l'influence de la sociolinguis-tique nord-américaine qui défend le concept de pertinence sociale des faits de langue — une langue est juste si elle traduit les réalités socio-culturelles de son milieu ; ni s'empê-cher d'introduire la notion de variabilité du comportement linguistique infirmant l'analyse abstraite, centralisatrice, qui se réfère à un prototype idéal de langage ou aux usages privilégiés qu'en fait le groupe dominant. En ce domaine, la recherche québécoise a fortement contribué à enrichir l'étude des variations linguistiques en orientant une large part de ses travaux vers l'aménagement linguistique, les niveaux de langue populaire et les parlers extrahexago-naux [10].

Mais dans cette orientation nouvelle, un certain nombre de facteurs extralinguistiques furent peut-être encore plus déterminants. La décolonisation suscita l'émergence des identités nationales et l'éveil du désir de prise en considé-ration des groupes ethniques minoritaires (Antillais, Bre-tons, Catalans, Alsaciens, etc.). Par ailleurs, les migrations de population conséquentes à l'industrialisation et aux bouleversements territoriaux obligèrent à s'ouvrir au problème de planification linguistique et à changer les méthodes et objectifs éducatifs. Il convient aussi de souligner l'importance d'impératifs économiques non négligeables. Le marketing et la concurrence entre les maisons d'édition poussent au racolage et à la séduction. Des dictionnaires tirant à plus d'un million d'exemplaires offrent, par exemple, des adaptations « canadiennes » qui rendent nos particularités visibles et gratifiantes. On peut présumer que l'Afrique francophone jouira du même privilège lorsque son taux de scolarisation et son indice de consommation justifieront une telle largesse.

Quoi qu'il en soit, il semblerait que l'heure des grands rassemblements et des grandes synthèses approche. L'affaiblissement de l'Hexagone et la montée de l'impérialisme américain incitent à rapatrier les parlers de la francophonie et à blanchir et recycler en toute vitesse les vocabulaires périphériques afin de renforcer le centre et de lui redonner un empire, des marchés, à tout le moins des complices ou des alliés. Au dictionnaire de l'an 2000, la *ludothèque* québécoise sera peut-être placée à égalité avec la *joujouthèque* française, et « être branché » ne signifiera peut-être plus copier le dernier « look » et acheter le dernier « tube », mais brancher sa case sur l'informatique.

L'interdiction lexicographique perd de sa vigueur. À ce chapitre, des progrès énormes ont été réalisés en deux décennies. Au milieu des années 70, les dictionnaires de la langue française commencèrent à inclure des belgicismes, des helvétismes et des canadianismes dans leur nomenclature, suivant l'aire de gravitation géo-culturelle formée autour du noyau métropolitain. Le terme de français régional a donc d'abord désigné le français des ethnies francophones d'Europe (la Belgique, la Suisse, le val d'Aoste), puis il s'est porté vers les anciennes colonies d'Amérique (le Québec, la Louisiane) avant de se pencher sur les parlers franco-africains et les parlers créoles à base lexicale française. Il suffisait d'attendre son tour. Avec un peu de patience, on finit par se voir décerner un jour ou l'autre un ersatz d'universalité.

Cette prise en considération des différences linguistiques suscita souvent de l'ennui, un intérêt condescendant, des arbitrages expéditifs. Mais elle eut néanmoins pour effet de révéler l'origine de la norme et, par le fait même, sa relativité. Il devenait plus difficile d'ignorer que, où que l'on soit, dans la langue et par la langue on énonce un lieu, un statut, une histoire, des enjeux politiques et culturels, le rapport entretenu avec l'Autre et avec la globalité du réel.

La stigmatisation des régionalismes, de même que la péjoration des mots, leur répartition en formes, genres et catégories affectées d'indices négatifs, traduit une résistance au pluralisme. Dans la langue comme en d'autres domaines, tout ce qui rend l'Autre *différent de*, *éloigné de*, et pose comme infranchissable la distance qui sépare la périphérie du centre, révèle le refus de la relativité et l'impuissance à vivre l'altérité. Et cependant le français central est un français régional au même titre que les autres, puisqu'il représente des réalités propres à une aire géographique déterminée. Ce point de vue, qui commence à faire l'unanimité des linguistes extrahexagonaux, est ainsi exposé par le linguiste Jean-Claude Corbeil, dont le nom est associé à l'aménagement linguistique de la francophonie et aux premiers travaux d'envergure réalisés en terminologie industrielle.

> À l'encontre d'un certain état d'esprit nous soutenons au départ que tous les français sont des français régionaux, qu'ils sont aussi valables les uns que les autres, qu'à travers eux coule le grand courant des traits linguistiques communs qui assurent l'intercompréhension, mais qu'en même temps chacun possède ses traits caractéristiques dont la compréhension et le respect sont deux manifestations de l'acceptation de l'autre [...] [11].

Les deux attitudes suggérées ne vont pas de soi. Dans son rapport au social, la langue tend à indiquer les frontières des territorialités géographiques, humaines, raciales, sexuelles qu'elle recouvre. Dans son rapport à la différence, elle absorbe des modes de marquage et de classification qui empruntent tantôt à la stigmatisation, tantôt au biffage des traits spécifiques. Le concept de régionalisme et d'usage des genres relève de ces deux tendances. Mais si l'on garde à l'œil le petit monde des régionalismes, on ne néglige pas pour autant le bon usage des genres.

Du bon usage des genres

> La langue était croyante et en vertu de sa religion plusieurs mots n'avaient pas de féminin. Ils ne pouvaient qu'être mâles ou mourir.
>
> Gérard de CORTANZE,
> *Le Livre de la morte*

Lorsque André Goosse, réviseur de la 12ᵉ édition de la « grammaire française » *Le Bon Usage*, vient présenter son ouvrage à Montréal, l'opinion publique est alertée par deux projets de loi qui rendraient caduque, sinon inopérante, la loi 101 qui assure la protection de l'usage du français au Québec. Mais le gendre et dauphin de Maurice Grevisse ne s'inquiète nullement de notre avenir linguistique. Il déplore par ailleurs si vivement l'avance prise par le Québec dans la féminisation des titres et fonctions que le quotidien *La Presse* donne en sous-titre de l'article qui lui est consacré : « La "féminisation" excessive de la langue inquiète plus le nouveau responsable du "Bon usage" que le relâchement de la loi 101 [12]. »

Une crainte aussi démesurée laisse entendre que l'innovation a un caractère plus politique que la politique elle-même. Ce que ne dément pas l'attitude de n'importe quel candidat briguant les suffrages à la mairie, à la députation ou à la présidence de l'UNEQ en période électorale, seul temps de l'année où le féminin arrive ex æquo avec le masculin dans l'appel au peuple et la prise en considération de ses besoins et aspirations.

La question des genres ne suscite pas de bien grandes controverses lorsqu'elle concerne des notions abstraites, ou ce que la terminologie essentialiste appelle les « êtres inanimés ». On met alors au compte du hasard, d'une commodité quelconque, d'un arbitraire spontané ou de faits anatomo-physiologiques et psychiques le choix de la distribution des genres. Personne ne rechigne parce que les noms d'arbres et de métaux sont masculins et que les noms de sciences sont féminins. Personne ne se battra pour que le mimosa, le sépale et l'abîme passent au genre féminin, ou pour que la moustiquaire, l'estafette et l'estompe deviennent masculins.

L'*attribution des genres* laisse froid. Il en va autrement de l'*opposition des genres* qui met en rapport des êtres sexués vivant à l'intérieur d'une communauté. S'éveillent alors des appréhensions, se raniment des susceptibilités, voire des préjugés, qui illustrent ce que le préfacier de la 8e édition du *Bon Usage* appelait « cette subtile connivence faite de mille et un mots de passe »[13] indiquant jusqu'où le genre grammatical recouvre le sexe biologique.

Si l'on se souvient que toute norme est un constat prescriptif et que toute mise en forme est également une mise en garde, on ne s'étonne pas de voir Grevisse trancher d'emblée que « certains noms de personnes désignant des professions exercées ordinairement par des hommes ou ne s'appliquant habituellement qu'à des hommes n'ont pas de forme féminine »[14], tels, dans la liste qu'il produit, *auteur, architecte, dentiste, diplomate, docteur, écrivain, imprimeur, ingénieur, journaliste, médecin, peintre, professeur*, etc.

Pour toutes ces professions, prière de s'abstenir. Il vaut mieux se cantonner aux fonctions de service, ou alors s'accrocher au bras de qui soutient « la forme féminine qui sert à désigner la femme du personnage dont il s'agit: *Madame l'amirale, la maréchale, la générale, la commandante, la colonelle, la lieutenante, la préfète,* [...] [15]», etc. Ambitionner de devenir femme de lettres est également mal vu. On souligne au passage que Brantôme, Pasquier, Chapelain et Restif de la Bretonne ont employé la forme *autrice*, alors que plusieurs ont risqué une *auteure*; mais on range *écrivaine* (avec *charlatane, amphitryonne, valette, forçate* et *pionnière*) dans les «formes féminines créées en passant, par badinage, ou par fantaisie, ou par caprice individuel [16]». Dans la liste revue et corrigée par Goosse, on lève la contrainte pesant sur *docteur, journaliste, dentiste.* Mais on place cette fois *authoresse, autoresse, écrivaine, peintresse* et *sculptrice* à côté de *voyoute, fantassine, chef-fesse* et autres mots aussi flatteurs, parmi les «féminins occasionnels, parfois plaisants [17]».

C'est que les mœurs évoluent. La 10e édition du *Bon Usage,* parue il y a 11 ans, était préfacée par Hervé Bazin, qui louait «la modernité de l'analyse», le souci «de signaler l'impropre et d'opérer un filtrage pour obtenir en tous courants des eaux claires» où coulerait désormais le Saint-Laurent (p. VIII). La 12e, celle du 50e anniversaire, se félicite de son ouverture à «l'oral» et aux «faits régionaux», mais le féminin y reste aussi peu javellisable. Au chapitre des genres, les remaniements touchent surtout la terminologie. Là où l'on titrait «Une seule et même forme pour les deux genres» (1955) ou «Pas de forme particulière pour le féminin» (1975), on ose maintenant «[...] le genre est conforme au sexe» ou l'inverse «[...] le genre n'est pas conforme au sexe».

L'euphémisme cède le pas au naturalisme. Mais l'aveu de l'avant-propos indique implicitement les limites de la socialisation du sexe:

> J'ai une dette toute particulière envers ma femme, née Grevisse, ma collaboratrice de chaque instant: nous avons discuté ensemble bien des points; elle

> m'a fourni beaucoup d'exemples; elle a relu et en
> partie dactylographié le texte. Cette édition
> refondue est notre œuvre commune [...] [18].

Le nom de l'auxiliaire, *épouse de* et *fille de*, ne figure ni
dans l'hommage rendu ni dans la signature de l'ouvrage.

Ce qui n'est pas socialisé reste *muet*, absent des formes
grammaticales convenables qui pourraient en témoigner.
Dans cette dernière édition, la forme féminine est surtout
représentée par la péjoration. Dans « les marques du féminin » exigeant un suffixe, on place en tête, et avec insistance,
la forme en *esse* aux connotations péjoratives : *ânesse,
borgnesse, chanoinesse, clownesse, singesse, quakeresse,
cheffesse*, etc., mais on place en dernier lieu, de façon
extrêmement concise et en s'aidant d'un seul exemple,
négatif, la forme en *eur-e* qui serait souvent la plus accep-
table : *inférieurE* (n° 489 d). Autre modification intéressante.
Les mots *artisane, auditrice, électrice, postière, préfète*
étaient auparavant rangés dans les acquis du « féminisme ».
On n'évoque plus le féminisme qu'à propos de *cocu*, « mot
auquel les dictionnaires ont donné longtemps une application restrictive [...] (qui) se dit aujourd'hui des femmes »
(n° 475 c).

La norme ne saurait rester indifférente à des faits de
langue qui cernent un rapport de classe doublé d'un rapport
de sexe. Car si le système linguistique prend soin de
distinguer les différences de classe par des niveaux de
langue différents, et les différences de territoire par des
régionalismes, on peut s'attendre à ce qu'une catégorie
grammaticale assume le marquage de la différence sexuelle.
En français, cette catégorie chargée d'indiquer la distinction masculin/féminin est constituée par l'opposition des
genres, dont l'un est marqué par l'adjonction d'un *e*. Le
genre non marqué est le masculin, genre principal à partir
duquel se crée l'opposition, qui peut, chaque fois que le
besoin se fait sentir, inclure le féminin.

un homme gourmand	une femme gourmande
un fin gourmet	—
un jeune instituteur	une jeune institutrice
un professeur spécialisé	—
un serviteur dévoué	une servante dévouée
un maître d'hôtel	—
un infirmier diplômé	une infirmière diplômée
un médecin généraliste	—
un opérateur de machine	une opératrice de machine
un ingénieur civil	—
un étudiant universitaire	une étudiante universitaire
un recteur d'université	—
un copiste méticuleux	une copiste méticuleuse
un écrivain célèbre	—
un acteur de cinéma	une actrice de cinéma
un metteur en scène	—
un pianiste réputé	une pianiste réputée
un maître d'orchestre	—
un secrétaire permanent	une secrétaire permanente
un conseiller municipal	—
un attaché politique	une attachée politique
un premier ministre	—
un prince	une princesse
un roi	une reine

Cette liste sommaire est instructive. Au sein de l'opposition, le régime de féminisation fonctionne lorsqu'il s'applique à des métiers manuels ou à des emplois subalternes, mais il devient inopérant lorsqu'il s'applique aux paliers supérieurs de l'échelle sociale ou à des fonctions jugées importantes, impliquant de la coordination, de la gestion, du commandement. L'exception de la dernière série relève d'un usage féodal où le pouvoir, héréditaire, allait à la femme par défaut en cas de rupture de la lignée masculine. Mais ce genre de glissement, non prévu en régime électif, explique l'absence d'équivalents féminins pour *premier ministre, président* ou *député.*

Dans l'étiquetage des genres, trois formes de marquage révèlent le degré de féminisation agréé par la norme. Le procédé n'est pas sans rappeler le sort fait aux régionalismes, le territoire corporel se prêtant encore davantage que le territoire géographique aux stratégies de naturalisation.

— *L'exclusion totale* : Aucun mot féminin ne figure au dictionnaire et dans la grammaire pour désigner un titre ou une fonction importante exercée par une femme. C'est le cas de la plupart des noms de professions ou titres comportant une rémunération élevée, du prestige, une élévation sociale. Les formes féminines pour *président, juge, député, ingénieur, médecin*, etc., sont toujours inexistantes, ou non acceptées par le bon usage.

— *L'inclusion partielle* : Les nomenclatures officielles produisent des mots féminins aux paliers intermédiaires et surtout inférieurs des titres et fonctions. Les noms *danseuse, vendeuse, gouvernante, boulangère, brodeuse, caissière, technicienne, enseignante*, etc., ne suscitent aucune réticence, contrairement à ceux énumérés plus haut.

— *L'inclusion discriminante* : Les formes féminines suggérées comportent une péjoration latente ou avouée, soit en raison de l'allusion grivoise et dépréciative qui s'y trouve rattachée, soit en fonction de

l'homonyme existant qui rend une connotation déri-
soire : *ivrognesse, cheffesse, maîtresse, professeuse,
médecine, gourmette*, etc.

À cette dissymétrie grammaticale s'ajoute une dissymétrie
sémantique qui infirme le régime des oppositions. Les
mêmes mots changent de sens et endossent une connotation
positive ou négative selon qu'ils s'appliquent à l'homme ou
à la femme.

un homme galant	= un homme bien élevé
une femme galante	= une femme de mauvaise vie
un homme savant	= un esprit cultivé
une femme savante	= tournure d'esprit ridicule
un garçon	= un enfant mâle
une garçonne	= une femme indépendante manquant de féminité
un couturier	= homme dirigeant une maison de couture
une couturière	= femme qui exécute des vêtements

Un secrétaire n'est pas non plus *une secrétaire.* Coco
Chanel devait être jusqu'à sa mort *un grand couturier.*
Pour la grammaire traditionnelle, le masculin est un titre,
le féminin un métier.

L'effet de dissymétrie se fait également sentir lorsqu'on
inverse le pôle de référence dans le régime d'opposition des
genres. Le féminin absorbant une forte dose d'infériorisation et de péjoration, le masculin qui en dérive parfois est
rarement flatteur comme en témoignent *salaud* (autrefois
salop), *concubin, puceau,* ou même *veuf* lié à une situation
inconfortable. De même, lorsqu'il y a flottement de l'opposition consacrée, la connotation est en général peu presti-
gieuse même si l'usage moderne tend à affaiblir l'effet
dépréciatif d'expressions comme *père célibataire, condition*

masculine, homme au foyer récemment apparues dans les médias. On renvoie alors ou bien à des situations marginales ou bien à des groupes qui se considèrent eux-mêmes comme minoritaires et se réclament du droit à la différence.

On ne badine pas avec les genres. En 1921, le linguiste Meillet écrivait : « Ce qui fixe les normes et détermine leur développement, ce sont les conditions sociales où se trouvent les sujets parlants. » Et il ajoutait, faisant figure de pionnier :

> Si on veut se rendre compte de ceci que dans les langues qui ont une destination du masculin et du féminin, le féminin est toujours dérivé du masculin, jamais la forme principale, on ne le peut évidemment qu'en songeant à la situation sociale respective de l'homme et de la femme à l'époque où se sont fixées ces formes grammaticales [19].

Dire autrement le réel, c'est déjà le changer. Dès que des variations s'introduisent ou menacent de s'introduire dans la situation sociale d'origine, la lutte des classements reprend, préfigurant, entraînant ou masquant la lutte des classes. Une femme qui dit « je suis écrivaine » fait peur. Et, curieusement, elle fait d'abord peur aux écrivains. Elle fait bouger la langue au point sensible. Elle illustre en quoi le discours des gens de lettres répète celui des gens d'affaires, qu'ils soient banquiers, maires, notables, gynécologues ou marchands de chaussures. Cette réaction de défense s'explique. Si les mots n'ont pas de sexe, ceux et celles qui les utilisent en ont un et connaissent la représentation sociale qui en est faite sous couvert de catégories, d'universaux, de définitions, de règles de grammaire enclines à prendre l'ordre social pour l'ordre naturel des choses.

Les formes grammaticales correspondent à des formes sociales. Le genre, en tant que catégorie grammaticale, reflète des structures de pensée, des rapports sociaux, des différences de statut, des contradictions. Chargé d'indices de valeur, il révèle au profit de qui s'effectue le trafic des échanges linguistiques. Marqueur de pouvoir avant d'être marqueur grammatical, il suggère en quoi le droit d'appropriation symbolique recouvre un droit d'appropriation plus global à l'égard de tout ce qui s'échange : les biens, le savoir, le capital, les mots, les influences, les objets.

On peut écrire « Trois cent femmes et un petit chat se sont BALADÉS dans la rue [20] » sans que personne sourcille. La norme ne répugne à aucune incongruité. Comme la normalisation sociale englobe la normalisation linguistique, on trouve joli le mot *strip-teaseuse* et laid le mot *huissière*, correct le mot *hôtesse* et cocasse le mot *avocate* (alors que c'est pourtant le mot *avocat* qui pourrait prêter à l'association ironique en raison de l'homonyme végétal qui lui fait concurrence).

La logique normative souscrit à la théorie de la règle préconstruite dont on oublie les lois sociales de construction. En elle-même, la langue est indifférente. Elle accepte les formes et adopte les sens dont on l'investit. La répartition des genres est liée à l'évolution des mœurs, au partage des rôles sociaux, à la conception du pouvoir et des fonctions qui en découlent. Croire que la féminisation des titres et fonctions doive s'aligner à tout prix sur le modèle dominant (non marqué) du masculin, c'est croire qu'il n'existe qu'une façon d'administrer la langue, de gérer et de représenter le réel. Les indices de féminisation actuellement proposés par la linguistique moderne [21] répugnent beaucoup moins à la langue elle-même qu'à ses usagers et usagères.

La résistance à la féminisation des titres et fonctions, qui s'exprime parfois par un sentiment d'étrangeté, ou de ridicule, à la lecture ou à l'audition de phonèmes indicateurs de différenciation positive, traduit le confort de l'habitude, une certaine inertie, la peur du changement. Des femmes elles-mêmes y font obstacle, soit qu'elles n'ont pas saisi le rapport qui lie les faits de langue discriminants à des faits sociaux équivalents, soit qu'elles s'en croient exclues pour

avoir conquis de haute lutte un poste, des titres traditionnellement réservés aux hommes, qu'elles entendent soustraire à la marque de féminisation dévaluatrice.

Le prestige d'un mot, sa valeur sont liés à l'importance du
réel nommé et à sa situation dans la configuration sociale.
Certes les mots suivent toujours avec retard le sort des
réalités qu'ils désignent. Mais le fixisme est en général
révélateur du lieu social occupé. On est plus conservateur
au centre qu'à la périphérie. Les milieux institutionnels,
par exemple les milieux universitaires, tiennent davantage
aux termes génériques masculins (l'*homme*, le *lecteur*, le
chercheur, l'*auteur*) que les milieux journalistiques. Pour la
même raison, l'aile linguistique québécoise devait occuper
au sein de la francophonie une position plus avant-gardiste
que l'aile parisienne, tant au chapitre de la féminisation du
vocabulaire et de la révision du concept de régionalisme
qu'à celui de l'aménagement linguistique et de la planification terminologique.

La journaliste américaine Wilma Scott Heide eut peu de
succès lorsqu'elle proposa il y a quelques années, dans un
éditorial du *New York Times*, de remplacer pendant un an
le pronom générique masculin par un pronom féminin, à la
suite de quoi l'on procéderait à une révision du système des
genres. Et pourtant cette audacieuse proposition avait été
précédée au cours de cette dernière décennie d'un certain
nombre de mesures administratives favorables : révision
par le *U.S. Department Labor* (ministère du Travail) de la
nomenclature des professions et élimination des noms
d'agent exclusivement masculins ; transformation du titre
de la revue *American Men of Science* en *American Men
and Women of Science* ; bannissement, de la Constitution
de la Californie, des pronoms génériques masculins et des
mots composés avec *man* ; recommandation par l'*American
Anthropological Association* d'utiliser *person, people* ou
human beings au lieu de *man* dans les publications scientifiques ; etc.[22]

Ces résistances sont fondées. Changer la langue, tout particulièrement au chapitre des genres, implique un réaménagement des rapports sociaux, voire une certaine mutation culturelle. Mais on croit percevoir que les tendances actuelles favorisent la triple réduction de l'écart tant en ce qui a trait aux régionalismes et aux niveaux de langue qu'en ce qui a trait au système des genres. Cette évolution traduit un assouplissement des zonages mentaux qu'établit une société pour se défendre de l'Autre, par qui s'exprime une différence menaçante, ou simplement problématique, dont s'accommodent mal les lieux et corps sociaux placés en position de centralité.

Il sera maintenant intéressant de se demander jusqu'où l'institution littéraire, qui utilise la langue à la fois comme matière première et comme discours, est complice de cette peur. Y a-t-il là un système de classement et d'accréditation de la littérature qui reconduit le processus de différenciation ? C'est ce que nous verrons au prochain chapitre.

---

1. Paul ROBERT, *Le Petit Robert*, tome 1, *Dictionnaire alphabétique et analogique de la langue française*, Paris, Le Robert, 1987, p. XXVIII-XXIX.
2. *Ibid.*, p. XIV.
3. Marina YAGUELLO, *Les Mots et les Femmes*, Paris, Petite Bibliothèque Payot, 1982, (Collection « Langues et sociétés »), p. 167.
4. La Banque de terminologie du Québec, complètement informatisée, a été créée en 1973 par l'Office de la langue française à partir de son Centre de terminologie, formé 4 ans plus tôt, qui constitua son premier fichier avec la collaboration de l'Université Laval. Aujourd'hui cette banque compte 3 millions de termes couvrant 17 secteurs d'activités où les communications et les services techniques occupent une large place.
5. Maurice DAVAU, Marcel COHEN et Maurice LALLEMAND, *Dictionnaire du français vivant*, Paris, Bordas, 1979, p. XI.
6. *Dictionnaire Hachette de la langue française*, sous la direction de Françoise Guérard, Paris, Encyclopédie Hachette, 1980, note de l'éditeur, (s.p.).
7. Paul ROBERT, *op. cit.*, p. XIX.

8. Paul MORISSET, « Josette Rey-Debove : il ne faut pas mêler français et québécois », dans *Le Devoir*, 4 juin 1983, p. 24.

9. Déclaration de Victor-Lévy BEAULIEU à Nicole Zand publiée dans *Le Monde* des 26 et 27 juin 1983 sous le titre « Le québécois, ce n'est pas une langue, c'est une musique ».

10. Ces initiatives, à l'égal de beaucoup d'autres, se situent dans un effort de décentralisation. Des organismes internationaux de première importance comme l'AUPELF (Association des universités partiellement ou entièrement de langue française), l'AIPELF (Association internationale des parlementaires de langue française), l'ACCT (Agence de coopération culturelle et technique) ou la FIDELF (Fédération internationale des écrivains de langue française) sont nés à Montréal, Luxembourg, Niamey et Québec.

11. Jean-Claude CORBEIL, auteur du *Dictionnaire thématique visuel*, Montréal, Québec/Amérique, 1986, commentant la parution de l'*Inventaire des particularités lexicales du français en Afrique noire* dans *Le français moderne*, n° 1, (janvier 1982), p. 78.

12. Georges LAMON, « André Goosse, l'héritier de Grevisse », dans *La Presse*, 29 novembre 1986, p. E4.

13. Fernand DESMAY, Préface, *Le Bon Usage*, 8ᵉ édition, Gembloux (Belgique), Éditions J. Duculot, 1964, p. 6.

14. Maurice GREVISSE, *Le Bon Usage*, 10ᵉ édition, 1975, n° 247, p. 202.

15. *Ibid.*, n° 247, remarque n° 1.

16. *Ibid.*, p. 205.

17. *Le Bon Usage*, 12ᵉ édition, n° 476, 1⁰.

18. *Ibid.*, p. IX.

19. Antoine MEILLET, *Linguistique historique et comparée*, tome 1, Paris, Champin, 1921, p. 29.

20. Louky BERSIANIK, *L'Euguélionne*, Montréal, Stanké, 1985, (Collection « 10/10 »), p. 226.

21. Ils peuvent se résumer à quatre : 1. Ajouter un e aux mots qui n'ont pas encore de féminin : *avocat, partisan, adjoint, député*, etc. 2. Faire précéder d'un article féminin ou du mot *femme* les noms épicènes, dont la forme n'est ni féminine ni masculine, terminés pour la plupart par un e muet : *une architecte, une ethnologue, la ministre, une femme-peintre*, etc. 3. Utiliser parmi les alternances possibles (eur/euse, ier/ière, teur/trice, ien/ienne, etc.) celle qui ne renvoie pas à un sens déjà existant, ou péjoratif (*ingénieuse* n'est pas le féminin d'*ingénieur* ; la forme *esse* est dévaluée : *poétesse, patronnesse, gonzesse*, etc.). 4. Créer des formes féminines chaque fois que des termes irrécupérables doivent être remplacés, en s'éloignant si nécessaire du modèle masculin. *Homme-grenouille*, déjà équivoque, n'a pas à être remplacé par *femme-grenouille*. On a créé *agent de bord* pour éviter la dérivation masculine du féminin *hôtesse de l'air* sans que personne proteste.

Pour des solutions de féminisation supplémentaires, voir les propositions émises par l'Office de la langue française dans son document *Titres et fonctions au féminin : essai d'orientation de l'usage*, Québec, 1986.

22. Renseignements tirés de Casey MILLER et Kate SWIFT, « De-sexing the English Language », *Ms*, 1, (Spring 1972).

5

CES LIVRES QUI
VOUS ENCHANTENT

Un livre [...] ce n'est pas du papier (bavard, buvard), plus de l'encre, plus de la colle, ni le travail isolé du relieur, du typographe, du correcteur, du publicitaire, du scripteur. C'est une chaîne économique, un morceau de tissu social.

Laurent MAILHOT

L'institution littéraire ou la transparence voilée

Savoir d'où l'on parle pour pouvoir dire autre chose que ce qui, de l'institution, parle en nous.

Robert SALETTI

En Algérie, il m'était plus facile de lire Camus, Vercors ou Montherlant que Boudjedra ou Ferraoun. Dans des grandes villes mexicaines, j'ai souvent cherché en vain aux étalages des librairies un exemplaire de Carlos Fuentes, d'Elena Garro ou d'Octavio Paz. À Montréal ou Mistassini, on trouve à peu près partout Benoîte Groult, Guy des Cars, Agatha Christie, le dernier best-seller américain, mais nos livres y sont encore rares ou absents. Et s'aviser de demander une version écrite des grands récits montagnais-naskapis de Carcajou ou de Tshakapesh à La Romaine ou à Fort Chimo relève de la démence ou de l'utopie.

Un livre est plus qu'un assemblage de mots. Plus qu'un amas de feuilles et de caractères typographiques qui font rêver. Il est le reflet d'une culture, le résumé d'une histoire, le produit d'une économie. À travers lui circulent les valeurs matérielles et symboliques partagées par une collectivité. Littéralement, on a les livres qu'on peut se payer. Qui vit à crédit dans l'orbite des grands empires culturels se voit forcé de renoncer à sa littérature pour consommer la litté-rature des groupes dominants. Il est difficile de croire à une

littérature dont l'invisibilité accentue la présence de littératures émises par des lieux producteurs de devises fortes,
d'exploits militaires, de performances économiques
remarquables.

Connaître ses créanciers, c'est adopter leurs produits. Là
où prévalent les investissements américains, on trouve du
livre américain. Là où les valeurs françaises l'emportent,
on trouve du livre français. Le reste est une figure de style.
Le reste est la métaphore de ce que pourrait être une
littérature vivante pouvant prétendre à la dénomination de
littérature universelle. Car avant d'être un concept, la
littérature est une réalité matérielle qui s'inscrit dans un
espace de production. Et le livre, un objet qui, comme
n'importe quel autre objet, circule dans le réseau d'échanges
de l'économie marchande.

On a une littérature lorsqu'on possède la capacité économique et politique d'imposer ses productions culturelles à
l'intérieur et à l'extérieur de son territoire. Sinon, on fait
des jeux de mots. On fabrique des livres qui ne figurent pas
aux étalages. On crée une littérature fantôme, au mieux
une littérature artisanale qui vivote, se cherche des subsides, une clientèle, des compétences.

Il existe des différences capitales entre les littératures
fortes et les littératures fantômes, mais les deux sont régies
par une institution littéraire assumant une fonction organisatrice et régulatrice qui les investit de valeurs symboliques donnant du prix à ce qui se lit, s'enseigne, se diffuse.
La question reste de savoir quelle voix parle le plus fort et
avec le plus de pertinence lorsqu'une double norme et une
double représentation sont émises par le centre et la
périphérie.

Comment se fait alors la perception de son identité à
l'intérieur des territoires humains et géographiques repré-
sentés par l'écriture, elle-même structurée par la langue ? À
partir de quels critères illustre-t-on et établit-on l'indexation

des différences ? Lesquelles, des grandes et des petites littératures, sortent gagnantes dans la course à la reconnaissance et à l'accréditation ?

La force de l'institution et les choix du système

> Chaque institution est le paradigme de la société dont elle émane.
>
> Andrée YANACOPOULO

Si l'on consulte *Le Petit Robert* pour savoir ce qu'est la littérature, on y trouve deux définitions. La première désigne celle-ci comme un « ensemble de connaissances », une « culture générale », « l'ensemble des ouvrages publiés » sur une question. La seconde vise « les œuvres écrites, dans la mesure où elles portent la marque de préoccupations esthétiques ; les connaissances, les activités qui s'y rapportent ».

Ces définitions, qui considèrent la littérature comme une qualité d'être ou une activité contribuant à la création d'œuvres qui signalent l'appartenance à une élite, renseignent peut-être moins sur la spécificité du fait littéraire qu'elles n'indiquent son lieu d'exercice et son champ de rayonnement. Au sens traditionnel, la littérature vise les gens cultivés capables de « converser avec les grands hommes de tous les âges depuis Homère jusqu'à Voltaire, et depuis Archimède jusqu'à Buffon [1] ». L'enseignement classique, qui apprenait l'art de tenir ces conversations, enseignait aussi à accéder aux postes de commande. « L'élève de nos collèges [...] devra commander un groupe de la société [2] », écrivait un pédagogue du début du siècle dans un populaire ouvrage exposant les buts et méthodes de la formation classique.

Soutenus par cet ambitieux projet, les collégiens négligeaient de se poser trois questions : 1. Qui oblige à ne converser qu'avec des hommes ? 2. Qui dit que les grands hommes sont des grands hommes ? 3. Qui décide de n'admettre au club des grands hommes que des Romains, des Grecs et des Français ? Dociles, ils embrassaient la plupart du temps le point de vue des maîtres, chez qui triomphait une évidence qui a encore cours : « Les auteurs et les textes sont retenus par le manuel parce qu'ils sont littéraires et ils sont littéraires parce qu'ils figurent dans le manuel [3]. »

Ce raisonnement tautologique confesse une foi aveugle en la légitimité du système littéraire considéré comme système absolu. Comme les traités d'histoire littéraire, les ouvrages de critique, les manuels et les anthologies prétendent à la vérité, confessent le plus souvent une objectivité libre de toute préférence et dégagée de tout conflit d'intérêt, il serait malséant de s'enquérir où loge l'instance suprême qui assure le contrôle et l'orientation du discours littéraire. Demander qui décide du corpus, de sa constitution, de son implantation, peut sembler incongru lorsque tout dévoilement du fait littéraire interroge l'ensemble des systèmes auxquels il renvoie. Des acteurs sociaux, des finalités, des fonctions s'évanouissent derrière une structure invisible mais cohérente, les œuvres choisies correspondant aux modèles culturels déjà imposés par la langue, l'histoire et les savoirs. La littérature officielle prend le visage et les accents des systèmes socio-culturels dont elle participe. Intégrée à la vie collective, elle rend le sens et les préoccupations du milieu où elle se divulgue et se constitue.

Cette convergence des systèmes et cette interaction des messages rend quasi impossible toute distanciation vis-à-vis des corpus proposant la liste d'œuvres et d'auteurs à assimiler. D'un lieu tout-puissant doté du privilège d'infaillibilité viennent des textes à *connaître*, dans lesquels chacun et chacune sont censés *se reconnaître* d'autant plus que le réseau éducatif où se déploie l'institution littéraire enseigne non seulement à connaître et à imiter les modèles institués, mais encore à les reproduire. L'école, le collège et l'université forment le goût, la mémoire, le sens critique. On répétera ce qui fut enseigné. On se nommera comme on a appris à le faire.

Parallèlement, les librairies, les bibliothèques, les tabagies, la radio et la télévision emboîtent le pas, agissant comme autant de multiplicateurs du message initial. Et nous voilà en présence d'une structure de diffusion qui émet, à partir d'un noyau solidement constitué, la liste des auteurs à fréquenter et des livres à acheter. Car un auteur mis au programme, une nouveauté lancée par les médias, cela signifie des milliers ou même des millions d'exemplaires vendus si l'on considère que les ventes dues à la mise au programme s'étalent sur plusieurs années et que la télévision est l'outil numéro un de promotion du livre.

La complexité et la diversité des composantes qui entourent le fait littéraire expliquent en partie la difficulté à définir la littérature. On sent que celle-ci renvoie à un discours plus vaste dont les finalités se dérobent. Fonctionne-t-elle comme industrie culturelle ou comme mythe de fascination ? Est-elle une création imaginaire, l'expression d'un langage ou le reflet d'une culture représentant l'ensemble de la collectivité ? Si personne ne peut dire ce qu'est la littérature, à commencer par ceux qui la font ou en font le discours, elle se présente néanmoins comme un état de fait à propos duquel s'établit un consensus qui gravite autour du système d'enseignement chargé d'en assumer la représentation dans le temps et l'espace. Et c'est alors que s'infiltre un doute : serait-elle un produit sélectionné dont on omet de livrer les règles de sélection et de production ?

Le secret est bien gardé. Les médias parlent. Les jurés s'agitent, mais le privilège d'immortalité s'octroie dans des officines protégées de la rumeur publique. Rivé à l'absolu, l'agent de sélection et de transmission du corpus se tient loin de l'événementiel. Loin de la précarité du quotidien et de la corruption de l'instant. Il ne fixe rien et ne divulgue rien en son nom personnel. Il n'agit ni de sa propre autorité, ni comme représentant d'une classe, d'un lieu ou d'une institution. Il est la voix collective, voix incisive, parfois prophétique, qui propose les vertus d'un grand auteur et d'un beau texte comme l'authentique expression de l'Homme universel, homme de tous les temps échappant aux déterminismes de l'histoire et de l'idéologie.

Et pourtant, derrière le corpus se trouve la machine littéraire qui n'est pas que la somme des chefs-d'œuvre produits par les grands auteurs, ces romans, poèmes, essais dont on dit qu'ils sont les meilleurs. De la machine, on connaît plus ou moins la base visible : le marché, les prix, les maisons d'édition et de distribution, la critique, tout cet appareil de production, de fabrication et de diffusion de la littérature appelé infrastructure, sur lequel vient se greffer le système d'enseignement qui en assure le prolongement et la viabilité. Mais on connaît beaucoup moins l'envers de la littérature, cette superstructure agissante qui dit, par la norme, ce qu'est et ce que doit être la littérature. Liée à des codes, transmise par un discours qui émet des jugements sans en révéler le fondement ou en définir les critères, elle soutient la machine et lui permet de fonctionner à la fois comme système et comme institution.

Il est souvent difficile de dissocier l'un ou l'autre de ces éléments pour en observer les effets, l'origine ou le fonctionnement. Le corpus donne à lire ce qui a été choisi par l'institution littéraire. Mais l'institution désigne autant *l'acte d'instituer* que *la chose instituée*. Privilégier une forme de littérature équivaut à la décrire comme un corpus préétabli. Et fixer le corpus inscrit la littérature dans l'échafaudage théorique qui autorise les pratiques convergeant vers le résultat escompté.

L'histoire littéraire qui dit raconter la littérature par la littérature, c'est un pieux mensonge, à tout le moins une fiction savamment entretenue. Avant d'être ce qui s'enseigne, la littérature est un fragment de l'ensemble socioculturel qui la génère. Elle est un monde de mots qui s'insère dans un monde déjà là. Qu'elle devienne elle-même objet d'histoire ne signifie pas qu'elle renonce à la tentation de l'histoire : se choisir un passé conforme au présent et au futur envisagés. À l'opposé des autres disciplines, la littérature se soucie rarement de se définir en tant qu'objet d'étude. Elle s'interroge peu sur sa nature, son identité, son champ d'intervention. Elle est, sans hésitation aucune. D'une génération à l'autre, les corpus d'œuvres se transmettent sans transformation notable ou justification explicite. Comme pour la Bible, leur légitimité paraît tenir à une révélation spontanée qui suscite adhésion et croyance.

Et pourtant, il faut bien comprendre que l'échantillonnage d'œuvres et d'auteurs qu'une tradition culturelle présente comme sa littérature est plus qu'une simple juxtaposition de noms formant série ou catalogue. Décider d'illustrer la littérature française par Corneille, Racine, Beaumarchais, Montherlant et Claudel ne rend pas le même sens et n'illustre pas le même projet social que de fixer son choix sur Molière, Lautréamont, Rosa Luxembourg, Genet, Simone de Beauvoir ; ou de placer côte à côte Molière, Villon, Anne Hébert, Françoise Mallet-Joris, Mammeri, Senghor. Même si les critères de sélection ne sont pas donnés, le contenu de la séquence révèle qui peut instituer ou être institué, quelles valeurs prévalent, vers quel lieu convergent les rapports de classe, de sexe, de race implicitement avoués.

La littérature est un système dont la cohérence et la signification entérinent la cohérence et la signification sociales auxquelles elle emprunte. Ce système englobe l'ensemble de réseaux, théories, méthodes, pratiques qui sous-tendent le fait littéraire, en assurent la reconnaissance et la transmission selon des impératifs qui répondent à une double exigence. Faire en sorte que le social s'y trouve réfléchi comme système signifiant, et présenter les choix littéraires — souvent arbitraires et conventionnels — comme nécessaires. Ainsi, d'un siècle à l'autre, les œuvres retenues seront considérées comme les seules représentatives de l'universalité avouée, même si l'on ne conserve, de l'ensemble de la production littéraire, que la nomenclature retenue par l'oligarchie qui a pouvoir de la fixer. Tel auteur, tel livre, tel groupe d'œuvres figurent dans un manuel comme l'ensemble d'une littérature — ou même de la littérature —, alors qu'ils sont le résidu d'un filtrage, ce qui reste une fois effectuée la soustraction des éléments non intégrés ou non intégrables au système.

Néanmoins, aucun consensus ne s'établirait si la littérature n'avait pour première fonction d'imposer une vision du monde qui soit tenue pour légitime et exemplaire. À cet égard, la filiation culturelle joue un rôle important. Les généalogies d'auteurs, les répertoires chronologiques aident à ordonner et à constituer une mémoire collective qui s'imposera à la mémoire individuelle comme un capital symbolique indispensable. Tel personnage, tel poème, tel roman sont, à l'intérieur de la littérature, autant de mises en situation de l'Homme universel, auquel on aurait tort de ne pas vouloir ressembler et qu'il serait honteux de ne pas connaître.

Quand l'étudiant de Port-au-Prince et la fillette de Fort-Lamy récitent Racine ou Claudel, ils célèbrent l'Homme universel, grâce à qui la civilisation est possible et dont semble dépendre leur intégration à la société moderne. Ils ne répètent pas un texte produit par un lieu, une époque, une société qui a transité chez eux par l'aventure coloniale. Ils se prêtent à un rituel. Admis au musée des grandes œuvres, ils s'imprègnent d'une grandeur insurpassable. L'espace du manuel recouvre leur espace collectif et individuel d'une aura d'excellence qui masque les enjeux de l'apprentissage. Ces auteurs ne sont pas présentés dans une perspective internationale qui les opposerait à d'autres littératures nationales, d'autres modes d'expression favorisant le jugement critique et la saisie de la relativité des formes de civilisation. Leur fréquentation fait ressortir une chose : des individus sont faits pour rayonner, dominer, s'imposer ; d'autres sont faits pour s'effacer, se soumettre.

Les premiers occupent l'avant-scène. Les seconds restent en coulisse, heureux de participer au spectacle qui les confine à l'oubli.

L'héritage culturel qui se transmet par la littérature est une représentation — au sens de production théâtrale sans cesse réactualisée — dont l'efficacité tient en partie à son anachronisme apparent. Le peu de référence faite au monde contemporain ajoute à la sacralisation du texte qui ne paraît refléter aucun temps et aucun lieu géographique précis. Disposer du registre de l'intemporalité et de l'universalité permet de consolider son emprise. Devient alors aisée l'identification aux valeurs, conduites, attitudes divulguées par la littérature universelle, et tentante l'adoption d'un style ou d'un comportement jugé conforme au modèle.

Tout ce processus s'articule autour d'un axe, jamais complètement dévoilé, qui supporte les textes illustrant ce que l'on qualifiait autrefois de « génie national » et que l'on appelle maintenant « le caractère universel ». La mise en système des traits dominants d'une littérature qui revendique l'exclusivité du privilège d'universalité s'élabore toujours à partir d'un centre — métropole, capitale, établissements de haut savoir — où s'élaborent des codes d'accréditation et de normalisation qui débordent le champ littéraire lui-même.

Nous touchons là à une deuxième fonction de la littérature. Créer un centre stable et limité qui reflétera le social et en reproduira les valeurs — sinon à quoi bon faire le consensus —, et autour duquel s'établiront les marges délimitant la périphérie. La périphérie, c'est le lointain, l'hétérogène, le mouvant. C'est le lieu de l'Autre d'où peut surgir la différence qui compromettrait l'hégémonie établie, exigerait la révision des normes ou même le partage des bénéfices.

L'identité problématique

Dis-moi que je vis

Michèle MAILHOT (titre d'un roman)

L'image qu'on se fait de la littérature, d'un grand auteur, la valeur qu'on leur accorde, les fonctions qu'on leur assigne se déploient habituellement du centre à la périphérie. Pour qui occupe le centre, il est facile de dire à qui se trouve refoulé sur les bords : tu habites tel lieu, tu occupes telle place, tu auras tel comportement, c'est-à-dire tu me seras utile ou agréable de telle ou telle manière.

L'une des façons les plus constantes d'être agréable est de se complaire dans l'insignifiance de sa position marginale, de s'abîmer dans sa différence de carte postale confirmant l'autre dans son sentiment de supériorité. J'ai déjà vu des Noirs endosser les compliments faits à leur négritude. J'ai déjà entendu des Québécois se récrier devant des protestations faites envers la stigmatisation de leur accent — un seul, le même pour tous, c'était plus commode et ça cadrait mieux avec les stéréotypes.

Sur la scène de la représentation sociale, le refrain du centre c'est : voyez comme j'existe, comme mes œuvres parlent, comme j'ai du génie. À l'opposé, la complainte de la périphérie se résume souvent à : croyez-vous que j'existe ? dites-moi que je vis. Il est difficile de se reconnaître, de s'imaginer et de se percevoir autrement que comme absent, en dehors, *différent* ou *différente de*, lorsque ses modèles et ses références viennent d'ailleurs.

C'est par l'identification que s'établit le lien entre l'individu et la collectivité. Et l'identité, c'est l'image de soi et la structuration de soi qui prennent forme dans la relation vécue avec son environnement, avec l'Autre. C'est la perception de soi acquise dans le rapport au temps et à l'espace collectif du groupe auquel on appartient. Le réel historique détermine la vision de soi autant que la vision de l'Autre. Si la durée consignée dans l'histoire et le récit — tout récit — se réfère exclusivement ou principalement au temps de l'Autre, à ses préoccupations et à ses réalisations, la constitution d'une identité propre est pour le moins problématique. L'effort exigé pour s'insérer dans l'histoire de l'Autre, pour entrer dans sa peau et tenir un rôle de figuration oblige à la destitution de soi.

Le sentiment de passivité, de coupure, voire de dédoublement, risque d'être d'autant plus fortement ressenti que le rapport à l'espace fait constamment intérioriser l'expérience de la limite. Ce sentiment est d'ailleurs renforcé par la norme qui impose le modèle, prescrit les itinéraires mentaux donnant la mesure de la différence imposée. Alors, puisque l'on ne peut être soi-même, puisqu'il faut ressembler à qui occupe tout l'espace identificatoire, on s'y appliquera. *Je* est un autre. Si l'on ne veut pas tomber malade de cette dissociation, il faudra faire coïncider les deux identités concurrentes, s'efforcer de les couler en une seule structure où ne se verra plus l'écart de classe, de sexe ou de lieu porteur de marques de différenciation.

Ce déplacement de l'identité engendre la vassalité. Être lu, publié, commenté dans la métropole locale ou extraterritoriale devient la grande affaire, le magistral succès. C'est là qu'est donné le visa d'entrée pour la grande littérature, là qu'est accordé l'imprimatur qui ouvre l'index de prestige réservé aux grands noms et aux grandes œuvres. Et, si l'on n'est pas écrivain, lire ce qui se publie au centre constitue l'indice suprême de distinction et de culture. Cet emprunt de l'identité dominante, qui rachète son insignifiance et donne des contours à ce qui se cherche une voix et un visage, donne l'illusion de combler un vide.

On a tous fait l'expérience de ces colloques internationaux où des auteurs de grandes littératures se citent entre eux, remuent leur passé glorieux devant des ressortissants de petites littératures, timorés, ébahis, avides de s'entendre dire qu'ils écrivent, existent, ou alors pourraient écrire et exister de telle ou telle manière. L'être de la marge est à ce point en manque d'identité qu'il est reconnaissant envers qui paraît lui en concéder une ou lui en dicter le mode d'emploi.

On a tous été atteints un jour ou l'autre du syndrome de la révérence. La pensée du centre, la plus infime de ses théories sont reçues comme un dogme. Ses dernières audaces, son dernier mot d'ordre sont objets de vénération et de citation, comme si ces visions éclairantes projetaient une lueur sur le non-lieu et le non-être où l'on stagne, en attente de la révélation qui donnerait un sens à sa propre pensée. Il suffit qu'une essayiste ou un romancier du centre s'amène en périphérie pour qu'aussitôt les médias divulguent le nom vedette, répandent la rumeur, célèbrent l'événement. On est petit, d'autres sont grands. Et de les savoir grands atténue sa petitesse. Cette représentation mentale de l'identité coïncide avec les réalités matérielles qui la fondent. L'ambiguïté psychique a pour corollaire une structure de production et de diffusion du livre non moins ambiguë.

Si la périphérie détient un certain nombre de pouvoirs, la structure littéraire se dédouble. L'appareil lourd reste au centre où l'infrastructure et la superstructure conjuguent leurs efforts pour produire le livre légitime et le discours de légitimation. Un appareil léger, fragmentaire, tente alors de se constituer à la périphérie où trois issues sont possibles. Mettre en place une structure de production du livre qui passera par le centre pour obtenir son accréditation symbolique. Ou bien endosser le régime de duplication et mimer le discours de validation du centre sans en avoir les moyens. Ou encore revendiquer son autonomie et produire un discours qui s'oppose à celui du centre et demeure inopérant aussi longtemps que l'infrastructure reste faible, sujette à la dépendance culturelle et à l'inégalité économique. C'est le sort des littératures parallèles et de la plupart des littératures postcoloniales. C'est aussi le cas de la littérature des femmes et de la plupart des littératures minoritaires, si l'on entend par minorité un groupe où la faiblesse d'action et l'infériorité de pouvoir dépassent ou accompagnent l'infériorité en nombre.

Cette situation entraîne inévitablement la confusion ou le conflit des codes. Une même culture, une même histoire, des références sociales communes entraînent l'identité des évidences. À l'opposé, un rapport différent à l'actualité, au corps, à l'imaginaire, à l'art, aux valeurs collectives actuelles et passées, influence différemment la réception et l'interprétation d'une œuvre. Deux formes d'évaluation et deux codes de lecture émis par des lieux différents n'aboutissent pas toujours aux mêmes conclusions. Il suffit qu'une variante influe sur les critères de classement ou la motivation des choix pour que les résultats diffèrent. Un livre qui plaît à la périphérie ne recevra pas nécessairement un accueil enthousiaste du centre, et le contraire est également possible même si le centre dispose des moyens de rendre ses choix effectifs.

Par exemple, il serait intéressant d'analyser sur le plan institutionnel pourquoi si peu de femmes se voient décerner les grands prix littéraires du Québec alors qu'elles raflent le Fémina (Marie Le Franc, Gabrielle Roy, Anne Hébert), le Goncourt (Antonine Maillet), le Médicis, le Prix de l'Académie française (Marie-Claire Blais). Pourquoi doivent-elles obtenir la reconnaissance internationale pour figurer au palmarès des gloires nationales et entrer dans les corpus d'enseignement secondaire et supérieur ? Poser la question autrement pourrait aussi être : pourquoi le seul homme récipiendaire d'un grand prix français, Gaston Miron, prix Apollinaire, est-il considéré comme un auteur « politique » ? Que vise-t-on et que masque-t-on de part et d'autre dans ces consécrations et ces omissions ? Quelle part de civilisation s'y exprime, quelles valeurs et quelles finalités s'y révèlent, quelles connivences ou quels antagonismes interviennent [4] ?

La double évaluation, conséquente à la double norme, n'est pas sans conséquence pour les écrivains et le public. Elle accentue la conscience floue, incertaine, que l'on a de son identité. Qui est-on ? Pour qui écrit-on ? À qui doit-on plaire, se conformer ? Devant qui doit-on répondre de ses réalisations culturelles ? Qui doit-on croire, entendre, lire, décrire ?

Par ailleurs, l'ambivalence de la double norme, manifeste dans le discours critique périphérique, affecte également les lieux de production et de consommation du livre. Où est la clientèle cible[5] ? Qui est-elle ? Comment rejoindre un public qui n'est pas sûr d'exister et se meurt d'envie de lire quelqu'un, quelque chose qui se trouve ailleurs et dont l'existence est assurée ?

Grandes et petites littératures

> Comment ça se fait que Seferis, quand il parle du petit cyprès qui s'agite dans le vent d'un village de Grèce, c'est de la poésie universelle et moi, quand je fais allusion au petit sapin qui tremble à Sainte-Agathe, c'est automatiquement du régionalisme ?
>
> Gaston MIRON

Dans l'approche des petites littératures, une question se pose parfois. Que pourrait raconter d'universel une romancière, un poète dont l'origine trahit l'éloignement, le provincialisme ? Ou encore, disons-le différemment, peut-on agréer un écrivain qui habite un point du globe si négligeable dans la configuration des rapports d'influence qu'on peut à peine en formuler le nom et en imaginer la présence autrement que comme une vague réminiscence toponymique ?

Cette question touche à l'évidence d'un lieu commun. L'universel est le propre des aires culturelles dominantes. Le régionalisme, ou toute autre catégorisation en *isme* qui dégrade le culturel dans une étiquette marginalisante, est celui des aires satellisées. L'histoire de l'impérialisme nous rappelle que le propre va souvent de pair avec la propriété.

Derrière un grand auteur se trouve souvent une gigantesque multinationale. Et l'on sait que les grands consortiums qui régissent actuellement le monde international du livre poussent rarement dans les terrains vagues des petites littératures. Tant au moment de leur émission qu'à celui de leur réception, les productions symboliques doivent leurs propriétés les plus visibles aux conditions sociales de leur production et à la position sociale de qui en fait l'évaluation.

Pour avoir une littérature, il ne suffit pas d'écrire. Il faut posséder ce qui fait exister la littérature. Le pouvoir économique qui permet de produire des livres, de les vendre, de les faire circuler. Le pouvoir symbolique qui en assure la légitimité, la reconnaissance, l'accréditation. L'un de ces pouvoirs allant rarement sans l'autre, il y a de fortes chances pour que les grandes littératures — les littératures universelles — émergent d'aires culturelles dominantes dotées d'instruments d'appropriation et de contrôle d'un stock suffisamment vaste de richesses économiques et symboliques. Et conformément à la même logique, les petites littératures — littératures régionales, littératures du monde en voie de développement, littératures minoritaires, littératures de femmes — vont de pair avec la dépendance économique et culturelle qui les empêche de naître ou de s'autolégitimer.

Il n'y a pas en soi une chose telle que des petites et des grandes littératures, c'est-à-dire des littératures qui possèdent a priori les qualités intrinsèques méritant le qualificatif moral ou esthétique de « petite » ou de « grande ». Ce concept implique un jugement de valeur émis par manque d'observation positiviste dans l'appréciation des circonstances de production de l'œuvre. Il n'y a de petites et de grandes littératures que par rapport à des notions quantitatives d'argent, de pouvoir, d'efficacité technique applicables aux agents et aux moyens de production du livre. Le produit littéraire est l'effet de ce qui le produit. Le livre, comme objet symbolique et objet de consommation, est reflet, fragment, prolongement du système qui le place dans le circuit des échanges.

Un grand pays, c'est-à-dire un pays économiquement et politiquement puissant, produit habituellement une grande littérature, alors qu'un petit pays, entendons un pays économiquement ou politiquement faible, produit une petite littérature. Les littératures grecque et latine sont nées quand les puissances grecque et latine étaient à leur sommet. De même la littérature anglaise, la littérature française, les littératures russe, espagnole et américaine ont excellé pendant l'âge d'or de l'Angleterre, de la France, de la Russie, de l'Espagne, des États-Unis, c'est-à-dire quand ces pays connurent une affirmation intra et extra-territoriale due au plein épanouissement des systèmes politique, militaire, socio-culturel qu'ils s'étaient donnés.

Il y a quelques années, à l'issue d'une conférence que je donnais à Paris sur les relations entretenues entre les littératures centrales et les littératures périphériques, quelqu'un leva la main : « J'ai essayé de prendre des notes, mais c'était impossible. Votre démonstration n'était pas cartésienne. J'ai remarqué que c'est toujours comme ça quand des Québécois s'expriment. Vous juxtaposez des phrases, vous ne déduisez pas logiquement. » La même conférence donnée quelques mois plus tard à Belgrade lors d'un festival international devait susciter l'enthousiasme d'un auditoire composé à part égale d'Orientaux et d'Occidentaux.

À l'intérieur du champ culturel, le lieu d'émission du discours, ou de l'œuvre, influence sa réception. Dans une optique de régionalisation culturelle, ce que dit ou produit une aire culturelle dominante fait tout de suite autorité, obtient partout une reconnaissance tacite. Ici même, les œuvres d'art amérindiennes sont exposées au Musée de l'homme plutôt qu'à la Galerie des Arts ou à la Galerie nationale du Canada. Et, partout, il est couramment admis qu'un livre de femme traite de la condition féminine et ne concerne par conséquent que les femmes, alors qu'un livre d'homme traite de la condition humaine dans son ensemble et doit être mis entre toutes les mains.

On parle pour être entendu et on écrit pour être lu, mais on parle mieux et on écrit davantage si on peut être lu et entendu sur une plus large échelle, dans un milieu apte à recevoir la parole ou le texte proposé. En littérature, être entendu signifie pouvoir lancer et faire circuler, tant à l'intérieur qu'à l'extérieur de ses frontières, les idées ou les livres produits. Derrière un livre se trouvent l'infrastructure et la superstructure capables de le produire et de l'imposer. Derrière une œuvre se profile le dynamisme collectif d'un groupe créateur de compétences et de structures de reconnaissance et d'accréditation. Offert par une grande puissance, le *White Book*, livre aux pages vierges enrobées d'une couverture aguichante mis sur le marché américain il y a quelques années, peut devenir un best-seller.

La *littérature mineure*, définie par Deleuze et Guattari comme «celle qu'une minorité fait dans une langue majeure», tient du même contresens ou du même artifice. Trois traits caractériseraient cette littérature. Tout d'abord la langue y serait affectée «d'un fort coefficient de déterritorialisation» entraînant «d'étranges usages mineurs» de celle-ci. En second lieu tout y serait politique, la moindre affaire individuelle, le moindre conflit œdipien tendant à se connecter aux «triangles commerciaux, économiques, bureaucratiques, juridiques qui en déterminent les valeurs[6]». Enfin tout y serait collectif, le champ politique contaminant l'énoncé et investissant la littérature d'une fonction révolutionnaire permanente.

À notre avis, le politique et l'économique qui sous-tendent les valeurs collectives, y compris les valeurs littéraires, investissent tout autant les «grandes littératures». La différence réside en ceci. Dans une littérature minoritaire, le manque de pouvoir oblige à nommer et invoquer le politique. Dans une littérature majoritaire, la possession du pouvoir incite plutôt à en taire le nom et à en masquer les effets. Même lorsque rien de politique n'investit le contenu d'une littérature minoritaire, on lui colle malgré tout l'étiquette de « politique » qui la disqualifie comme produit culturel. Et l'on réserve la qualification d'« esthétique », qui exclut a priori le politique, aux littératures majeures.

Les « usages mineurs » d'une langue ne sont perceptibles que si l'on fait intervenir un jugement de valeur, fortement marqué du souci de territorialité géographique et sociale, en faveur des usages accrédités. L'envie de la différence refusée conduit alors à vouloir jouer les apaches. « Si nous parlions iroquois ou huron, notre littérature vivrait », déplorait Crémazie il y a plus d'un siècle. Il faut « trouver son propre point de sous-développement, son propre patois, son tiers monde à soi [7] », s'emballent Deleuze et Guattari, qui seraient bien embêtés de devenir subitement « le nomade et l'immigré et le tzigane » dont ils vantent la déterritorialisation. Ces propos, et d'autres similaires, traduisent l'aveuglement de qui affirme : je ne saurais courir le risque de voir morceler le centre, je veux bien de la déterritorialisation mais à condition qu'elle se fasse chez moi, parmi mes semblables et sous mon contrôle ; il n'est pas question que des Antillais, des Hurons ou des Africains y travaillent.

Il est facile à une aire culturelle dominante d'imposer ses modes, ses idées, sa littérature, aux pays, régions, enclaves intra et extraterritoriales satellisées. À travers une série de discours et de rapports socio-politiques plus ou moins invisibles et persuasifs, on influence la réception des produits, les habitudes de consommation, les modes d'évaluation et de classification du livre pour lequel préexistent les termes du classement. Seront classés universels un livre, un auteur, une littérature produits par une aire culturelle dominante. Sera classée régionaliste, folklorique, passéiste, utopique, une littérature émise par une aire culturelle réduite ou parallèle.

À court terme, les chefs-d'œuvre s'imposent souvent moins par le signe de qualité qui les précède que par le réseau institutionnel qui les supporte. En un sens, la réussite d'un livre produit par une aire culturelle dominante est de quelque façon prévisible, mais celui d'un livre produit par une aire culturelle marginale ou secondaire est accidentelle. C'est pourquoi, dans l'aire des petites littératures, le succès ne peut être qu'individuel, alors que dans les littératures de grande extension la réussite est collective et s'inscrit dans l'histoire globale d'un pouvoir et de ses accomplissements socio-culturels.

Aujourd'hui plus que jamais, la littérature est à l'image de l'industrie qui la produit et des moyens de communication qui la divulguent. Tout particulièrement en Amérique du Nord, l'industrie du livre est en train de passer entre les mains d'un petit nombre de grands consortiums, souvent associés à d'autres industries ou trusts, qui tuent les petites maisons d'édition incapables de soutenir une telle concurrence. Or chacun sait que les grands trusts et les grands capitaux desservent rarement les littératures de faible expansion.

En 1955, peu avant le mouvement de décolonisation, l'Europe, qui représentait 15,5% de la population du globe, produisait 50% des livres du monde. Vingt ans plus tard les États-Unis, le Canada, le Japon, la Nouvelle-Zélande, l'Australie et divers pays européens, incluant l'U.R.S.S., soit les pays riches et industrialisés qui forment à peine le tiers de la population mondiale, produisent 80% des livres placés sur les marchés internationaux [8]. La fraction riche et scolarisée de l'humanité contrôle les quatre cinquièmes des lectures du monde et de l'industrie mondiale du livre. Ces statistiques, qui illustrent les formes d'universalité qui circulent, révèlent l'ampleur du phénomène d'acculturation qui touche les groupes non producteurs. Et même dans les communautés productives, il resterait à analyser les composantes du marché. Ainsi, le Québec vend chaque année

pour 150 millions de dollars de livres, mais seulement 20%
de ces livres sont produits sur place [9].

Ce déséquilibre de la production et de la diffusion est
particulièrement crucial pour les communautés où prévaut
la littérature orale — mythes, contes, proverbes, facéties,
récits, dialogues dramatiques, parodies, etc. Il affecte
également, à l'intérieur de la littérature écrite, les contre-
littératures et la littérature populaire — roman sentimental,
roman policier, science-fiction et bandes dessinées. De
façon plus générale, il concerne toute pratique littéraire
décentrée par rapport à l'institution : ces « vibrants témoignages » des gens de couleur, ces « accents intimistes » des
femmes, cette « truculence » régionale, tous ces échos confus
qui laissent filtrer des différences dont la somme formera
la toile de fond du folklorisme et du naturalisme gardés en
marge du trafic littéraire contrôlé par le centre.

Le débat qui porte sur les grandes et les petites littératures
ressemble assez à celui qui oppose la littérature et la non-
littérature. Il vise souvent moins la littérature elle-même
que la légitimité à imposer la norme. Se voulant seules
universelles, seules dotées de la spécificité qui confère
existence et grandeur, les littératures dominantes rendent
visible la hiérarchisation du classement sans en révéler le
mode opératoire.

L'œuvre exemplaire est montrée comme étrangère aux
circonstances de sa production. Elle est telle en raison de
qualités immanentes qui répugnent au questionnement.
D'où ce fétichisme moderne du texte dans la lecture et
l'interprétation des œuvres, ou cette perspective méthodo-
logique ancienne qui s'attardait à l'analyse des personnages, au style, aux procédés littéraires, négligeant
d'aborder l'arrière-plan social, historique, qui aurait mis
l'universalité à l'épreuve et donné de la substance à
l'esthétisme.

Pour la même raison, les « petites littératures » sont censées illustrer un projet politique simplifié dont on souligne l'extravagance ou le bien-fondé : la décolonisation africaine, la souveraineté québécoise, le féminisme, les revendications ethniques, les poussées régionalistes. Lues en fonction des informations qu'elles apportent sur tel ou tel fait social, elles font office de documentaire au même titre que le bulletin de nouvelles ou l'enquête sociologique [10]. Dans la façon de les présenter, on braque l'intérêt sur un vécu ethnographique — faits de langue, habitudes de vie, détails concernant la nourriture ou le vêtement, etc. — ou une spécificité instrumentale qui les rend homogènes, indifférenciées, peu ouvertes aux préoccupations esthétiques et métaphysiques. Comme personne n'a statut de sujet, une dénomination globale coiffe les agents littéraires et leurs œuvres. Il est question de « littérature coloniale », de « littérature féminine », de « poésie de la négritude », de « littérature régionale ».

Ce dernier champ sera l'un des plus fructueux. Et pourtant, comme pour la langue, la question de la régionalisation est un faux problème. Toute littérature est régionale, en ce sens que toute littérature produit des lieux géographique, mental, culturel qui sont les siens. Et en même temps, toute littérature est universelle puisqu'elle est l'une des composantes formant la mosaïque des littératures de l'univers. Le reproche souvent fait aux littératures régionales de promouvoir un espace géographique et social, où la complexité humaine et l'expressivité littéraire se réduisent à une revendication politique, vise souvent moins la nature de l'œuvre que son ex/centricité. Cette œuvre ne peut exister qu'en tant qu'ex/centrique, c'est-à-dire en tant que signal et rappel de sa fonction : produire les marques de la distance qui la sépare du centre, demeurer espace physique, matière naturelle, et non s'accomplir comme langage, écriture et art.

Selon qu'il s'agit des littératures minoritaires ou majoritaires, les stratégies de voilement et de détournement réduisent le littéraire au politique, ou donnent au politique la neutralité littéraire. Le centre crée sa politique de l'intérieur par l'ensemble de ses systèmes et de ses institutions. Il dispose du temps historique qui ouvre l'espace littéraire à la transcendance, au lointain. Les sous-littératures, les contre-littératures et les petites littératures sont hors de l'histoire, hors d'une durée circonscrite par la certitude de ses origines et de sa fin. Elles énoncent un monde fragile, incertain, qu'il est facile de réduire à sa territorialité physique par des procédés de marquage qui feront ressortir la naturalité du texte périphérique et recréeront, à l'intérieur du champ littéraire, l'opposition nature/culture déjà manifeste dans la langue et le concept.

Ainsi, la littérature du centre sera culturelle. Celle de la périphérie sera naturelle. Ce naturel vaut son pesant d'or. Grâce à lui, on peut faire du tourisme à bon compte. Affamé d'exotisme, le centre explore les petites littératures comme on se promène dans la nature, ravi des parfums qu'il y respire, des sons qu'il y entend, des gestes qu'il y pose. Ne négligeant aucune des curiosités offertes, il expédie des cartes postales vers la ligne de départ. *En souvenir de. Je suis passé par là. Je m'en suis bien tiré. Signé : l'Homme universel.*

---

1. J.-F. LA HARPE, *Lycée ou Cours de littérature ancienne et moderne*, nouvelle édition augmentée, tome 1, Paris, Lefebvre, 1816, p. 31.
2. Georges COURCHESNE, *Nos humanités*, Nicolet, Procure de l'École Normale, 1927, p. 75.
3. Bernard MOURALIS, *Les Contre-littératures*, Paris, Presses Universitaires de France, 1975, p. 32.
4. De nombreux exemples pourraient illustrer les divergences d'opinions afférentes à la double norme. André Langevin, Gérard Bessette, Hubert Aquin, Jean Basile, Marcel Godin obtiennent ici un succès critique, mais déplaisent ou laissent indifférents en France. Claire France émeut la critique et le public parisien avec *Les enfants qui s'aiment*, Robert Lalonde suscite un débat enthousiaste sur le thème du bon sauvage avec *Le Dernier Été des Indiens* ; mais le

premier livre apparaît comme assez peu signifiant ici, et le second y est condamné pour les raisons qui le font aimer outre-Atlantique.

5. Cette question, liée aux impératifs du marketing, ne se pose pas qu'à la périphérie, où elle est cependant plus aiguë. Des livres publiés par le centre, uniquement ou principalement pour le marché colonial ou postcolonial, peuvent rester invendus dans le lieu d'édition sans que le marché en souffre.

6. Idées développées par Gilles DELEUZE et Félix GUATTARI au chapitre 3 de *Kafka, pour une littérature mineure*, Paris, Minuit, 1973, p. 29 à 50.

7. *Ibid.*, p. 33.

8. Statistiques fournies par Robert ESCARPIT dans *Le Littéraire et le Social*, Paris, Flammarion, 1970, (Collection « Champs »), p. 245-246.

9. Jean-Pierre GUAY, « Littérature du Québec », dans *Bulletin d'information de l'Union des écrivains québécois*, n° 2, 1983, p. 2.

10. C'est en ce sens que Gérard TOUGAS écrit, dans *Destin littéraire du Québec*, Montréal, Québec/Amérique, 1982, p. 40 : « Le lecteur étranger ne lira pas l'écrivain québécois pour mieux se comprendre, mais bien pour s'informer de la minorité québécoise en Amérique du Nord. »

6

IL ÉTAIT UNE FOIS L'AMÉRIQUE

L'Amérique est le territoire absolu de notre errance.

Lucien FRANCŒUR

Le voyage a eu lieu, il y a des mois, des siècles, des millénaires. Le voyage ici n'est que façon de regarder ce qui se déplace à partir de soi.

Francine SAILLANT

Un exotisme à fleur de peau

[...] l'attrait de l'exotisme, la curiosité de l'ambigu.
                                        Diane de MARGERIE

Dans les forêts du Nouveau Monde, Chateaubriand trouvait Dieu. Le plus souvent, après y avoir aperçu des sauvages, on n'y découvre que son nombril.

C'est que cette terre ne pardonne pas aux utopistes. Une nature aussi présente, un espace aussi démesuré piègent l'identité et déjouent les catégories apprises. Le monde inachevé qui s'offre au regard nécessite une nouvelle résolution. Confronté à la nature sauvage face à laquelle les acquis culturels semblent dérisoires ou inopérants, l'on prend peur et l'on se cherche une issue appelant la séduction ou le rejet.

Le rejet effectue la mise à mort de l'Autre par le naturalisme outré qui l'oblige à se produire comme curiosité, rebut, négation de la culture éveillant le mépris ou enflammant la passion d'évangélisation. La séduction vise son assimilation par le primitivisme ou l'exotisme. Le primitivisme situe l'Autre hors du temps, loin de la proximité physique et sociale qui en ferait l'épreuve ; l'exotisme en fixe les contours dans la parodie confortante de la carte postale.

Si la métaphore fétichisée du bon sauvage, et la vision idéaliste qu'elle en rend, s'érige dès le XVIe siècle en valeur idéologique dans l'institution littéraire, c'est qu'elle s'inscrit comme signe particulier dans une signification plus globale pouvant être détournée au profit des individus ou des groupes qui en font usage. Découvrir l'Amérique, c'était partir en quête de l'ultime continent où aller vivre le rapport à l'Autre. L'appétit de bénéfices matériels ou symboliques posé au départ comme la condition la plus impérative de l'itinéraire exploratoire devait influencer la perception et l'interprétation des différences observées. Au retour, rendrait-on compte d'une découverte, ou raconterait-on l'impossible ouverture du centre à une terre résolument excentrique ?

L'œuf de Colomb

> Je ne crois pas qu'il y ait au monde meilleurs hommes pas plus qu'il n'y a meilleures terres.
>
> Christophe Colomb

L'œuf de Colomb, c'est une bombe à retardement.

De l'autre côté de l'Atlantique vivent des hommes et des femmes qui ne connaissent ni Aristote ni Platon, qui n'ont lu ni Shakespeare, ni Racine, ni Don Quichotte, ni saint Thomas. Très vite, à leur sujet, deux questions se posent. Primo, cet univers étrange est-il conforme à la représentation que l'on se fait du monde, ou oblige-t-il à de nouvelles conceptualisations ? Secundo, si l'on ne peut intégrer cet univers au système de pensée constitué, doit-on le considérer comme l'impensé de la différence ou renoncer à l'impensable d'une culture non encore révélée ?

Cette découverte d'un continent lointain suscite surprise et angoisse. Jusqu'ici on avait réussi à sauvegarder l'unité de l'espèce humaine posée idéalement. Pour la conscience humaniste, tout convergeait vers l'identité du modèle imposé. Grâce au bienveillant acquiescement de la nature, l'univers était un système de différences contrôlées où ne se glissaient ni désordre excessif ni irrégularité frappante. Des catégories fixes préservaient l'ordonnance du monde de la corruption du temps qui corrompt l'histoire, elles fixaient également des frontières à l'illimité d'où pouvait surgir de l'inclassable et du non-identifié dans lesquels on ne se reconnaîtrait plus.

La catégorie, c'était le cran d'arrêt posé à la prolifération de la différence. C'était l'absorption de la durée qui altère la permanence de l'être et la validité des modèles. La vie cessait d'être cette coulée obscure qui investit la matière, les corps, pour les diversifier, les fragmenter et les recréer sous des formes inédites. Elle devenait une structure logique qui définit la relativité des systèmes et empêche l'émergence de mutations trop radicales ou de métamorphoses trop spectaculaires.

En quittant l'Europe, Colomb a pris le risque d'évacuer le monde des catégories. L'homme souhaite effectuer une sortie de l'histoire par l'évasion dans l'espace, mais le lieu qu'il vient de découvrir est aussitôt intégré au temps européen. Le voilà confronté au paradoxe de l'explorateur. Il croyait toucher une terre délivrée des corruptions du temps. Sa faute et son mérite — et c'est en quoi il se distingue des utopistes pour qui il n'existe que des territoires imaginaires — sont d'avoir découvert un territoire réel où l'histoire le ressaisit.

Autour de lui, on cherche à résoudre une énigme. Que faire de l'anti-monde trouvé en bordure de la route de l'or et des épices, qui paraît fuir à mesure que l'on s'en approche ? Le bon sauvage dont on vante les mérites enrichit peu les caisses de l'État. La puissance colonisatrice souhaite moins relancer le débat sur la nature qu'en profiter. Colomb a perdu la carte. Il faut sévir, arrêter cet homme. Il faut écarter l'explorateur qui a crevé la rondeur de l'espace et taillé une brèche dans l'univers clos où triomphait l'idée de frontière.

L'Occident ne s'est pas encore complètement remis de cette déchirure. Ouvrir l'espace, c'est infirmer la pertinence des catégories établies et rendre sensible une évidence troublante. Ailleurs vivent des populations dont la langue et les gestes déroutent, qui témoignent de passés et de futurs insoupçonnés. Face à cette intrusion du lointain qui risque de déstabiliser le centre, où s'est élaborée la logique du monde et constitué le système d'échanges linguistiques et symboliques prédominants, il faut rétablir la cohérence du système. Des récits de voyage se donnent pour but de retracer l'itinéraire et de réinventer la carte. Des exposés narratifs décrivent des parcours exotiques, des dérives balisées de lieux communs exprimant le désir de conquête et d'appropriation.

La différence n'intéresse que si l'on peut en établir les bords. Le sauvage qui fait irruption dans l'imaginaire européen de la Renaissance et interpelle le Siècle des lumières interroge si crûment le rapport nature/culture qu'il faut rapidement l'éduquer. On l'affectera à des tâches utiles. On lui soufflera son discours. Le mouvement n'est pas près de s'interrompre. À l'approche de l'an 2000, ce nomade a toujours pour rôle de satisfaire les besoins et d'apaiser les angoisses de ceux qui ne cessent de le découvrir.

Selon l'heure marquée par l'histoire, le sauvage sera donc bon ou mauvais. À l'ère des grandes découvertes, lorsqu'on se cherche des colonies porteuses de bénéfices matériels et politiques, il doit être bon avec juste ce qu'il faut de vices et de faiblesses pour attirer le missionnaire, le militaire et le marchand. En régime préindustriel, quand triomphent les impérialismes européo-américains affamés de main-d'œuvre servile, il ne peut être que mauvais [1]. La vie du bon sauvage est donc hypothéquée dès le départ. À peine l'a-t-on découvert qu'il est sur le point d'être trouvé coupable d'avoir été déclaré parfait.

Ce court intérim aura néanmoins permis de voyager dans la carte postale. Vue de près, la différence suscite la répulsion ou éveille de trompeuses convoitises. Mais, à distance, elle est promesse et séduction. Tant dans la littérature québécoise que dans la littérature française, le sauvage sera la voix de la nature dont il partagera les caprices, révélera les mutations, exprimera les finalités. Tâche difficile, trop liée à l'idée que l'on se fait de la nature pour ne pas avoir à en souffrir les contradictions.

La séduction de la distance

> Quelquefois, il fait nuit, c'est alors que les gens se racontent des histoires.
>
> TSHAHAPASH, *Récits montagnais-naskapis*

> Ces sauvages-là sont des idées pures.
>
> Pascal BRUCKNER,
> *Le Sanglot de l'homme blanc*

Le bon sauvage fait son entrée dans la littérature française avec « Les cannibales » de Montaigne, moins d'un siècle après la découverte de l'Amérique. Dans les *Essais* du moraliste, les sauvages vivant au « païs infini » de la « France Antartique » font envie. Ils sont l'incarnation de la loi naturelle, le symbole d'une liberté rebelle au monolithisme religieux et philosophique de l'Europe accablée par la censure et déchirée par les guerres de religion.

> Ils sont sauvages de même que nous appelons sauvages les fruits que nature, de soi et de son progrès ordinaire a produits : là où, à la vérité, ce sont ceux que nous avons attirés par notre artifice et détournés de l'ordre commun, que nous devrions appeler plutôt sauvages ; en ceux-là sont vives et rigoureuses les vraies et plus utiles et naturelles vertus et propriétés [2].

À l'égal de beaucoup d'autres, Montaigne croit que la civilisation engendre la véritable sauvagerie en substituant à l'ordre naturel un ordre factice porteur de contraintes, d'illusion et de corruption. Suivre la nature, y conformer sa pensée et son agir, c'est atteindre l'équilibre des conduites et des significations. Car la nature, c'est l'ensemble des lois fondant l'intelligibilité du monde, la caution d'un univers où les gens et les choses échangent leurs significations. La nature n'est pas d'abord instinct et pulsion. Elle est le code implicite où se trouve inscrite la loi primordiale qui fonde tous les autres codes et toutes les autres lois. Elle est la matrice où se déchiffre le sens premier du monde. En elle reposent la source du savoir et l'harmonie des pratiques sociales.

L'idée fera son chemin. Diderot participe de cette pensée lorsqu'il écrit dans son *Supplément au voyage de Bougainville* :

> Parcourez l'histoire des siècles et des nations tant anciennes que modernes, et vous trouverez les hommes assujettis à trois codes, le code de la Nature, le code civil et le code religieux [3].

Et l'encyclopédiste d'ajouter que la loi civile n'est «que l'énonciation de la loi de Nature» dont l'observation rend superflue la loi religieuse.

Si le bon sauvage n'existait déjà, il faudrait l'inventer. Sans lui, les philosophes du droit naturel rateraient leur meilleur argument. Ce témoin des temps passés et ce conscrit des temps futurs épaule le projet révolutionnaire. L'Indien fait preuve d'indépendance. Il est libre, fier, éloquent. De surcroît, il est imbu des sentiments de liberté et d'égalité dont se réclament les encyclopédistes et les libres penseurs. Il servira de porte-parole aux réformistes.

Prôner l'état de nature, c'est insinuer que la société n'a pas toujours vécu selon l'ordre social et politique existant, et donner à imaginer un ordre nouveau. C'est dire qu'aucune organisation sociale n'est éternelle. En régime monarchique, l'autorité du Souverain s'exerce de droit divin. Célébrer l'homme de nature, développer le principe du droit naturel, c'est déjà signer la mort du Roi. Le sauvage a bonne volonté. Il peut servir tous les combats et embrasser toutes les causes. Il sera l'antithèse et l'antidote des maux dont souffre la société européenne.

Parcourir l'histoire des siècles et des nations, comme le suggère Diderot, c'est remonter vers les commencements. Car la vérité, comme le bonheur, se situe au commencement, avant les méprises et les méfaits de la civilisation qui déforme le jugement. Cela oblige à se déplacer dans l'espace, à chercher ailleurs des lieux où la nature est demeurée elle-même. Dans *La Langue des calculs*, Condillac propose le voyage en terre primitive comme la propédeutique du savoir.

> Nous qui nous croyons instruits, nous aurions besoin d'aller chez les peuples les plus ignorants pour apprendre d'eux le commencement de nos découvertes ; car c'est surtout ce commencement dont nous aurions besoin ; nous l'ignorons parce qu'il y a longtemps que nous ne sommes plus les disciples de la nature [...] [4].

La nature vient de faire un pas que le sauvage devra franchir. À compter de maintenant, elle désignera moins la loi que la réalité originelle perdue, refoulée, que l'on se fera un devoir sinon un plaisir de retrouver. Voici donc la nature suspendue entre un passé intemporel et un futur idéal qui conjugueront leurs efforts pour libérer les forces vives de l'être en marche vers le progrès.

Pour l'Occident qui croit souffrir de vieillissement, imaginer des peuples vivant dans un état de sauvagerie aimable et jouisseuse régénère. La fable des origines est ensorcelante. Il était une fois un Eldorado dont on a perdu la trace, mais qu'il est possible de retrouver en remontant le fil de l'histoire. Au bout, on partagera le bonheur des sociétés inaugurales. On goûtera au ravissement des lieux où se survit l'enfance du monde. On rencontrera des êtres libres et pacifiques qui ignorent les divisions et contradictions apportées par la culture. On connaîtra l'immersion sauvage favorisant le retour aux sources où s'entendent des signes qui permettent de subvertir le discours social.

Voyager dans la carte postale est un art. En puisant dans les récits de voyage de Lahontan et les Relations des jésuites Lafitau et Charlevoix, Chateaubriand dresse le portrait de sauvages fort sympathiques. Ces êtres inoffensifs et charmants, qui se situent à mi-chemin entre les grands visages de l'Antiquité et les futurs animateurs des clubs Med, devisent autour des chutes du Niagara et déambulent dans les forêts du Nouveau Monde comme des hommes civilisés non touchés par la dégénérescence de la civilisation. « Quand l'Indien était nu ou vêtu de peau, il avait quelque chose de grand et de noble [5] » se remémore dans ses *Mémoires d'Outre-tombe* l'ancien Malouin, fils d'un armateur de noblesse illustre, qui a beaucoup rêvé de voyages.

Suffisamment lointain pour être rêvé, le bon sauvage envoûte. Dans un monde en changement contraint par l'histoire, il est la métaphore de l'harmonie retrouvée. Habitant le non-lieu de l'atlas, il évoque la totalité du temps reconquise sur le néant. Et cependant, le concept de nature évolue. Une césure s'est introduite entre l'individu et la nature désormais perçue comme extérieure à soi.

Cette dernière est devenue un espace fournisseur de matières premières offertes à l'ingéniosité de qui peut se l'approprier. La terre, et tout particulièrement la terre d'Amérique, regorge d'or et d'argent transformables en capital. Dans cette alchimie de la matière en progrès, le bon sauvage est lui-même produit de la nature, ressource naturelle appropriable et utilisable. Il suffit de lire les récits des explorateurs pour constater à quel point les autochtones sont confondus avec la flore et la faune qui les entourent. Le découvert, qui ne suscite chez le découvreur ni plus ni moins d'intérêt que l'érable, la linaigrette, le phoque ou l'orignal, semble ne représenter qu'un spécimen un peu plus étrange, ou un peu plus achevé, des espèces végétales et animales observées.

Appelé sur différentes scènes pour incarner les aspects contradictoires du concept de nature, le bon sauvage ne saura bientôt plus où donner de la tête. Échouant à représenter en même temps le mythe de l'origine et l'accomplissement du progrès, il sera relevé de sa fonction ou déclaré forfait. Et il le sera d'autant plus que la bonne nature — celle qui est virtuellement positive, c'est-à-dire contrôlable par la culture — a comme envers la mauvaise nature — ce côté hostile, insoumissible, qui échappe à toute évolution et à toute entreprise de transformation.

Entre l'instant où l'Indien satisfait l'idéologie du primitivisme et celui où il devient grossier, sanguinaire, ignorant des exigences de la loi et des raffinements du savoir, il y a passage de la littérature française à la littérature québécoise. Du versant positif de la nature, on glisse au versant négatif, qui révèle la contradiction profonde entre les buts poursuivis et les idéaux invoqués. L'œuvre coloniale est achevée. Les autochtones se sont vu confisquer leur visa d'universalité. Le bon sauvage n'habite plus la terre exotique des commencements où les cumuls de richesse sont possibles. Il croupit sur un sol ingrat, au bord de forêts épaisses où le soleil d'Orient ne se lève jamais.

Il restera, pour les Nord-Américains, ce qui, de la nature rationalisée, mise en système, resurgit ailleurs sous des formes inquiétantes. Il sera le sous-produit d'une culture qui ne sait à quel usage et à quel destin le vouer. Mais nous n'en sommes pas encore là. Revenons en arrière pour tenter de saisir en quoi la séduction de la distance sous-entendait la séduction d'un code qui avait créé de toutes pièces l'objet de son adoration.

La séduction du code

> Je vois ici, sur les épaules de ce peuple, les têtes de Jules César, de Pompée, d'Auguste, d'Othon et des autres que j'ai vues en France, tirées sur le papier ou relevées en des médailles.
>
> Le Père LEJEUNE, *Les Indiens du Canada*

Nombreux sont les récits de voyage qui exaltent l'art oratoire de l'Indien. Produit par le code, le bon sauvage se voit bientôt forcé de le reproduire. Ce sera sa façon d'être utile et de payer sa dette à l'Européen qui l'a découvert.

Les « philosophes nuds » que présente le baron de Lahontan dans ses mémoires font pâlir les grands orateurs du Siècle des lumières. « Vous seriez demeuré d'accord avec moi que toute notre rhétorique n'a point de figures plus vives, plus énergiques [6] », s'enthousiasme l'explorateur dans une lettre écrite lors de son séjour de dix ans en Nouvelle-France, dont la narration deviendra une source majeure d'inspiration pour nombre d'hommes de lettres européens.

On connaît moins le sauvage qu'on ne le reconnaît. Il est le prolongement d'un discours qui sert à représenter le monde et à l'ordonner. Sa réalité lui est donnée par le langage qui le transforme en signe. Dans ses *Dialogues et anecdotes philosophiques*, Voltaire place en tête-à-tête, pour un entretien distingué, un bachelier parisien très chauvin et un sauvage de la Guyane, de grande culture, à qui répugne l'ethnocentrisme [7]. Lafitau démontre pour sa part, dans *Mœurs des sauvages amériquains comparées aux mœurs des premiers temps*, que l'Iroquois ressemble à s'y méprendre aux grands Romains de la Rome républicaine. Lorsqu'on attend des appuis moraux et financiers de la métropole, il faut non seulement aviser celle-ci que les indigènes ne sont ni plus barbares que les gladiateurs ni plus inhumains que les héros de l'*Iliade*, mais encore la persuader de l'habileté discursive indienne, signe suprême de civilisation.

User du même code, c'est souscrire aux mêmes significations. Tous les sauvages appelés à défendre la cause de l'évangélisation et de la colonisation sont donc de bonne race. En eux souffle l'ardeur de la vaillance épique. En eux bat le cœur de l'humanité originelle. Ils exhibent une civilité, une maîtrise du langage qui les rend comparables aux grands de l'Antiquité peuplant les bibliothèques et les musées. Ils prêteront main-forte aux dévots catholiques, ou se rallieront aux sceptiques et aux rationalistes. Comme ils sont des êtres de papier, on peut tout leur demander ou presque.

Ces descriptions de mœurs indiennes sont la métaphore de l'instance culturelle en visite chez les indigènes, qui donne à voir les images illustrant la fiction de la découverte. Le bon sauvage, c'est *Paris, Texas* avant l'apparition du cinéma. Nous sommes moins dans l'énonciation du réel que dans l'arbitrage de la réalité par les signes qui la représentent. Les textes fonctionnent en référence à eux-mêmes. Chateaubriand effectue le voyage en Amérique entre les quatre murs de sa chambre. Le libre penseur Raynal copie Charlevoix. Grasset Saint-Sauveur compose ses *Mœurs, lois et coutumes des sauvages du Canada* à partir de vagues souvenirs d'enfance. Point n'est besoin de voir, entendre, vérifier ce qui figure déjà sur papier. Il suffit d'acquérir le code du voyage, et le bruissement de la langue fait le reste.

De relais en relais, la métaphore du bon sauvage se multiplie avec un stupéfiant succès. Il y aura 25 éditions des récits de voyage de Lahontan, 13 pour Raynal[8], une audience de choix pour Montaigne, des best-sellers pour Chateaubriand qui, en plus de ses œuvres de fiction, aura l'idée de composer un *Petit Dictionnaire de la langue des Sauvages*. La passion de la différence trouve moins à s'assouvir dans l'amour de l'Indien que dans la fascination du code.

Dans un univers dualisé où nature et culture s'excluent mutuellement, la culture, c'est l'irruption des codes venant faire le partage entre le bien et le mal, le vrai et le faux, l'avant et l'après, l'origine et la fin. Que le bon sauvage soit la réplique sophistiquée de l'homme antique ou la contre-partie naturelle de l'Européen décadent, il assume le triomphe de la culture. Il endosse la différence indiquée par les signes. Au cœur de l'alternance, il est l'esclave de significations qui se sont construites sans lui. Arraché à sa matérialité de sujet par l'apologie qui l'écarte de l'histoire pour le faire basculer dans la contre-culture occidentale et son besoin de réforme, il n'a plus qu'une valeur de signe ou même de signal.

Il fascine par les marques qui le désignent comme pure extériorité : le costume, les bijoux, la parure deviennent fantasmés comme le corps réel. Les Indiens cessent d'être des autochtones soumis à un rapport social qui les dégrade et les nie. De cette disparition de l'humain naît la beauté rassurante du signe. Ces corps-objets soumis à la dictature du code sont une assurance contre l'insubordination sociale. Arrachés à leur environnement socio-culturel et dépouillés de toute différence significative, ils témoignent de l'ego occidental qui projette en eux ses fantasmes et ses besoins. L'effet est double. Par cet habillage de la sauvagerie primitive, on se prémunit contre sa propre sauvagerie. Voilà des pulsions ritualisées par le processus d'écriture qui rendront le corps de chair moins terrible, à commencer par le sien.

Cette mise à distance de l'Autre, dont on porte en soi une part, s'effectue dans le récit de voyage par le système de marques suggérées par le code qui trace et retrace indéfiniment la ligne de partage entre la nature et la culture. Le code séduit parce qu'il exclut et en cela même rassure. Ce qui inclut fait peur, car cela ouvre la voie à l'illimité.

Partir explorer l'espace étranger en abandonnant tout derrière soi est un bien grand risque. Il est plus commode de se déplacer sans quitter sa culture ni renoncer aux frontières qui indiquent d'avance le résultat. Pour ces raisons, la conquête de l'Amérique devait entraîner assez peu de découvertes.

Diamants et nouda

> Et à certains endroits nous avons trouvé des pierres comme diamants, les plus beaux, polis et aussi bien taillés qu'il soit possible à homme de voir.
>
> Jacques CARTIER,
> *Voyages en Nouvelle-France*

En plus d'être une nécessité idéologique, le bon sauvage est une nécessité économique. Les récits de voyage de Cartier, comme ceux des missionnaires et des explorateurs, ont pour principal but d'accréditer l'entreprise coloniale et l'expansion métropolitaine. À cet effet, ils font miroiter les richesses des terres découvertes et le mérite de populations susceptibles d'accroître la fortune et la gloire de monarques affamés d'or et de puissance.

La route de l'Ouest devant déboucher sur Cathay, l'Orient et ses trésors fabuleux est le parcours emprunté par ceux qui, après avoir rêvé le monde, souhaitent le posséder. Mais conquérir le monde oblige à le désacraliser, puisqu'il faut dès lors associer le discours profane et la loi de l'échange à l'expérience du lieu. Invoquer la caution religieuse rétablira la croyance. « Nous reconnûmes que ce sont des gens qui seraient faciles à convertir » écrit Cartier à François 1er lors de son premier voyage en Nouvelle-France. Il sait que son roi peut se prévaloir auprès du pape du but religieux qui a valu des privilèges aux rois d'Espagne et du Portugal.

Convertir, c'est amener quelqu'un à croire, faire adhérer à une opinion. C'est l'inciter, comme le veut l'étymologie, à

« se tourner vers » le sens nouveau tenu pour valeur trans-
cendante, pouvoir supérieur doté de propriétés quasi
magiques. D'habiles stratégies de persuasion doivent
entourer l'entreprise de désorientation, car la vérité des
choses et la promesse de salut passent désormais par
d'autres attentes, d'autres rites, d'autres pratiques. Le
transfert des croyances ne s'effectue que si les deux parties
concernées peuvent compter sur un profit qui récompensera
de l'effort déployé ou de la perte encourue.

Convertir suggère donc aussi l'action de transformer, de
changer, obligeant à l'abandon de ce qui était possédé
auparavant. Ce dessaisissement s'accomplit la plupart du
temps en trois étapes. Il y a d'abord l'étape d'intimidation,
entrecoupée de moments de séduction, destinée à amener
l'autre à se dessaisir de lui-même. Puis celle du dépouillement total, et enfin celle de l'imposition du nouveau code
instituant les nouvelles valeurs et les nouvelles pratiques.

La conversion des Indiens de la Nouvelle-France obéit à ce
processus. Au cours de la première phase, l'espoir de bénéfices incite à reporter le désir de transformation sur des
signes et des objets. On souhaite faire sienne la richesse
possédée par l'autre.

> [...] ceux-ci faisaient un grand bruit, et nous fai-
> saient plusieurs signes d'aller à terre, nous mon-
> trant des peaux sur des bâtons [...] dansant et
> faisant plusieurs signes de joie et manifestant le
> désir de vouloir notre amitié, nous disant en leur
> langage : Napou tout daman asurtat (« Nous vou-
> lons avoir votre amitié ») et autres paroles que
> n'entendions. Nous ne voulûmes pas nous fier à
> leurs signes, et leur fîmes signe qu'ils se reti-
> rassent [9].

En prenant l'initiative du discours, les Indiens brisent les
règles du jeu. Obliger les occupants à « se tourner vers
eux », c'est inverser le rapport de force et s'arroger le droit

d'imposer son code. Mais on n'a, pour garantir cette prétention, que de misérables peaux de bête. Un si maigre butin n'a rien d'alléchant. Les signes parlent moins par ce qu'ils énoncent que par ce qui les soutient. De surcroît, le langage des autochtones est surtout gestuel. Tout dans leur approche traduit une nature excessive. Ces sauts, ces cris, ces danses contreviennent au rituel de l'échange. Il faut stopper leur avance, rabattre sur cette ridicule sauvagerie un code culturel pour lequel il n'est pas de réplique : « Et voyant que malgré les signes que nous leur faisions, ils ne voulaient pas se retirer, nous leur tirâmes deux coups de passe-volants par-dessus eux [10]. »

L'occupant reprend en main l'arbitrage de la valeur. Le recours aux armes rétablit la distance du rapport, qui ira en s'agrandissant, et dissipe le malentendu. Le centre détient le pouvoir d'aller à la périphérie, de lui imposer sa loi, son commerce, sa langue, et non l'inverse. Il lui appartient également d'user de séduction envers ceux qu'il se plaît à réduire par la manifestation de « grands signes d'amour » et l'invitation « à faire grande chère ». Cette phase est le prélude de la dépossession qui sera vécue comme un don.

> [...] dès qu'ils nous aperçurent, ils se mirent à fuir, nous faisant signe qu'ils étaient venus pour trafiquer avec nous ; et nous montrèrent des peaux de peu de valeur, desquelles ils se vêtent. Nous leur fîmes pareillement signe que nous ne leur voulions nul mal, et descendîmes deux hommes à terre, pour aller à eux, leur porter des couteaux et autres objets de fer, et un chapeau rouge pour donner à leur capitaine. Et partie d'entre eux, voyant cela, descendirent à terre, avec desdites peaux, et trafiquèrent ensemble ; et démontrèrent une grande et merveilleuse joie d'avoir et d'obtenir desdits objets de fer et autres choses, dansant et faisant plusieurs cérémonies, en jetant de l'eau de mer sur leur tête, avec leurs mains. Et nous baillèrent tout ce qu'ils avaient tellement qu'ils s'en retournèrent tout nus, sans rien avoir sur eux [11].

Les marques d'autorité sont distribuées sous forme d'objets. Celui qui peut coder la différence, lui assigner des bornes, impose du coup sa loi. À mesure qu'évolue la rencontre, l'antagonisme s'accroît entre les deux groupes. L'un fait des affaires, l'autre fait la fête. L'un commande la stratégie de domination, l'autre s'abandonne aux rituels de l'eau et de la danse intégrés à la matérialité du corps.

La maîtrise engendre le mépris et la méprise. Le groupe dominant sort vainqueur de l'opération, alors que le groupe dominé se croit gagnant. C'est donc signe que la conversion a eu lieu. À la fin, les Indiens atteignent l'extrême dépouillement. Ils ne sont plus que nature, corps nus prêts à entrer dans la peau de l'autre et à se vêtir de ses oripeaux. L'appropriation des corps s'accompagne de l'expropriation territoriale exigeant l'imposition du code. La dépossession de l'espace faite au nom des pouvoirs politique et religieux introduit un temps et un lieu étrangers à l'histoire amérindienne. Les mots trouveront désormais leur sens hors de la terre visible. Le ciel, l'au-delà des mers seront les nouveaux référents garantissant l'ordre imposé.

> Le vingt-quatrième jour dudit mois, nous fîmes faire une croix de trente pieds de haut, qui fut faite devant plusieurs d'entre eux, sur la pointe de l'entrée dudit havre (Gaspé), sous le croisillon de laquelle mîmes un écusson en bosse, à trois fleurs de lys, et au-dessus, un écriteau en bois, engravé en grosses lettres de formes, où il y avait, VIVE LE ROI DE FRANCE [12].

Les protestations du chef indien ont peu d'effet sur le cours des événements. Destitué de son identité, il perd toute autorité. « Et après qu'il eut fini sadite harangue, nous lui montrâmes une hache, feignant de la lui bailler pour sa peau [13]. » Deux de ses fils sont pris en otage, revêtus de la livrée révélatrice de leur condition : « Et accoutrâmes sesdits fils de deux chemises, et en livrées, et de bonnets rouges et à chacun, sa chaînette de laiton au col [14]. » Ces hommes serviront d'interprètes aux occupants et leur permettront de comprendre le nécessaire. La violence accompagne chaque étape de l'appropriation. Dans l'une de ses acceptions, comprendre signifie « saisir », « prendre avec soi ». Plus avant, il a été dit que la connaissance dérive de la possession.

> Si on leur montre des choses qu'ils n'ont point et qu'ils ne savent pas ce que c'est, ils secouent la tête et disent *nouda*, ce qui signifie qu'ils n'en ont point et qu'ils ne savent pas ce que c'est [15].

Le rapport colonisateur/colonisé exposé dans la narration du premier voyage de Cartier en Nouvelle-France illustre l'une des plus spectaculaires mises en scène du rapport centre/périphérie. Ce rapport comporte toujours, dans sa structure et ses modalités, une appropriation de la différence soumise à l'ordre de l'échange et à son désir de profit.

Au troisième voyage, l'explorateur n'a toujours pas trouvé la route de l'Orient, mais il a aperçu « au royaume du Saguenay » des « veines de matières minérales qui brillent comme de l'or et de l'argent [16] ». L'aventure aura donc une suite.

Du côté de l'Éden

> Qu'as-tu fait de mon pays ?
> An Antane KAPESH, dite Anne ANDRÉ

> Les sauvages et les animaux ne connaissent pas le rire.
> Benjamin SULTE

Les récits de voyage de Jacques Cartier avaient fourni le mode d'emploi du bon sauvage, ils n'en avaient pas épuisé le mythe. Du côté de l'Éden, de ce côté-ci de l'Atlantique où se poursuit l'aventure coloniale, les écrivains seront partagés entre la vision idyllique de l'Indien diffusée par la métropole et l'expérience de l'autochtone avec qui s'éprouvent des rapports de proximité.

On continuera pendant un certain temps à s'inspirer des fictions d'outre-mer qui glorifient un Indien superbe et enfantin. Puis, au fur et à mesure que décroît cette influence et que s'affaiblit la voix de Chateaubriand, l'on commence à divulguer des versions plus réalistes de la question amérindienne. Ici, le bon sauvage n'est pas le visage fantasmé à distance. Il est le mal nécessaire imposé par l'histoire.

Avec la fondation de la colonie, il y a eu fractionnement et déplacement du centre. Les jansénistes de Port-Royal ont émigré dans la Nouvelle-France qui appartient maintenant aux Anglais. Le sauvage devra donc répondre à de nouvelles injonctions. Au XIXe siècle, elles lui viennent surtout des historiens. Au XXe siècle, les littéraires prennent le relais. La différence amérindienne, d'abord introjectée comme métaphore positive ou négative de l'origine, lieu de ressourcement prêtant à transgression, sera finalement invoquée comme support généalogique de la féminité ou de l'américanité postulée.

Quand naissent l'histoire et la littérature québécoises, l'Indien paraît avoir deux visages. Il est ou bien le romanichel sédentarisé qui bazarde des mocassins, des paniers et de la babiche aux points de chute où passent les cigognes ; ou bien le descendant des barbares qui ont scalpé les jésuites, tenté d'exterminer les Blancs, et dont la présence aux abords des villages incite à verrouiller ses portes à la tombée de la nuit. Pour l'âme populaire, comme l'écrivit Benjamin Sulte, « chacun de nous compte un ancêtre enlevé, brûlé, mangé par les Iroquois [17] ».

En Amérique du Nord, la sauvagerie n'était pas promise à un bien grand avenir. Elle rendait des connotations trop familières pour inciter au ravissement. Le best-seller du milieu du XIXe siècle est la *Légende de la Jongleuse* de l'abbé Casgrain, répertoire d'atrocités qui entretient la mémoire d'un sauvage inculte et sanguinaire demeuré étranger à la civilisation. Sur ce fond d'horreur tamisé de

tolérance opportune, l'historien Maximilien Bibaud échoue
à imposer la proposition émise dans son étude anthropologique des mœurs amérindiennes : l'Indien n'a pas à être
civilisé par l'Occidental, il l'est déjà [18]. On lui préfère les
historiens avides de convertir le sauvage aux nécessités
économiques et idéologiques de l'époque.

Sous le Régime français, l'Indien a dû participer aux luttes
que se menaient les puissances française et anglaise pour
s'assurer le contrôle du territoire et du commerce des
fourrures. Sous le Régime anglais, on l'associe au projet de
survivance francophone avant de le mobiliser pour le
nationalisme naissant de 1840. L'Acte d'union des deux
Canadas, qui vise à l'anglicisation du Canada français,
vient d'être proclamé. Pressé par la crise, le maître à penser
de l'époque, l'historien François-Xavier Garneau, sépare
les sauvages en deux clans. D'un côté, il place les sympa-
thisants, les gentils Hurons alliés des Français. De l'autre,
les alliés des Anglais, les traîtres Iroquois affamés de
tueries, de carnages et de bûchers. L'abbé Ferland passe
derrière lui et corrige la répartition. Le camp ennemi sera
formé de païens. Le camp allié regroupera les chrétiens
parmi lesquels figureront des Iroquois empreints de bonté
et de componction, touchés par la grâce. L'iconoclaste
Benjamin Sulte, qui déteste à part égale les jésuites et les
Indiens, jette de l'huile sur le feu des débats. Il rejette à la
fois l'idéal missionnaire, l'idéal colonisateur et cette race
taciturne qui, comme les animaux, croit-il, ne connaît pas
le rire.

Au tournant du XXᵉ siècle, les impératifs idéologiques
changent. Un million de Canadiens français ont émigré en
Nouvelle-Angleterre. La campagne, vantée par l'élite qui
voit en elle un facteur de stabilité socio-culturelle, est
désertée au profit de l'exploitation forestière et de l'industrialisation. Le sauvage reviendra occuper la scène de la
contre-culture pour y exhiber la somme des vices et travers
qui font échec à la civilisation. Il représente alors tout ce
qu'un Canadien français voué au messianisme religieux et

patriotique en territoire nord-américain doit fuir : le nomadisme, le paganisme, l'alcoolisme, le mépris de l'agriculture,
l'amour effréné de la liberté. Cinquante ans plus tard,
Lionel Groulx souscrit à la même thèse, reprochant à
l'Indien de demeurer le « primitif recroquevillé depuis des
millénaires dans le même état de vie [19] » larvaire et dégradé,
qui ne saurait servir d'exemple à un peuple appelé à de
grandes réalisations.

L'invitation faite à l'Indien de figurer périodiquement dans
la mosaïque nationale désigne moins son intégration que
sa mise à l'écart. Administrer la différence, c'est lui assigner
une place. L'idéal collectif refusera toujours d'associer son
identité à l'entité amérindienne. Non seulement l'on se
gardera de l'identification au monde amérindien, mais l'on
s'en défendra, tout particulièrement au XIXe siècle, quand
triomphent les théories raciales. Les Canadiens anglais
nous accusent alors d'être métis, produits dégénérés de la
vieille France, qui partage volontiers cette opinion.

> Un long séjour en Amérique a fait perdre au créole
> canadien les vives couleurs de sa carnation. Son
> teint a pris une nuance d'un gris foncé ; ses che-
> veux noirs tombent à plat sur ses tempes comme
> ceux de l'Indien. *Nous ne reconnaissons plus en
> lui le type européen, encore moins la race gau-
> loise* [20].

L'idée sourit à Barrès, dont les insinuations discriminantes
déplaisent à Lionel Groulx, qui aurait déclaré, dans une
conférence à l'Action française de Boston à la fin de la
Première Guerre mondiale, selon le compte rendu qui en a
été fait :

> Toujours est-il que nous n'aimons pas être traités
> de sauvages, ni par des journalistes imbéciles, ni
> par des académiciens, gens d'esprit par état. [...]
> C'est-à-dire, plus exactement, nous entendons bien
> rester de la grande famille française puisque nous
> en avons toujours été, mais nous n'aimons pas

que ceux qui nous ont découverts aient toujours
l'air de s'ébahir comme les Parisiens de Montes-
quieu devant le Persan : «Ah! Monsieur est
Canadien français, comment peut-on être Canadien et Français ?»[21].

Quoi qu'il fasse, l'Indien est le fléau de l'Amérique. Roue de
secours du projet communautaire ou bouc émissaire de
l'échec national, dès qu'il évacue la métaphore, il a le
visage de la différence odieuse. Excès, interdit, déchet de la
civilisation, il croupit dans les franges du non-être d'où on
le tire de temps à autre pour répondre à quelque nécessité
changeante, éphémère, qu'il fait sienne avant de sombrer
dans l'oubli.

Depuis quelques décennies, il a été partiellement réhabilité
par les historiens. Mais le manuel scolaire le convie le plus
souvent pour la scène folklorique légendaire. Le sauvage
s'habille, mange, fume, danse, se déplace dans une aire
domestique et tribale garnie de quelques lambeaux d'organisation sociale. Au dénouement, deux choix lui sont offerts :
renoncer à sa différence et s'assimiler en vitesse, ou s'y
cramponner et mourir d'une mort lente[22].

Pendant la Révolution tranquille, l'aile gauche militante
québécoise revendique le statut de «nègres blancs d'Amérique». Une certaine bonne conscience, la distance qui
nous sépare des «nègres noirs» autorise ce transfert. Nous
n'avons pas inventé le Ku Klux Klan, et les chauffeurs de
taxi haïtiens ne roulent pas encore dans les rues de Montréal. Les écrits d'Aimé Césaire et de Léopold Senghor ont
diffusé le thème de la négritude. Il ne vient à personne
l'idée de se dire Indien. Là encore la passion du code
l'emporte sur l'amour de l'humain. Le Québec connaît trop
la proximité indienne pour rêver de métissage.

Il serait tentant de croire que les textes littéraires stigma-
tisent moins l'univers amérindien que ne le font les textes
historiques. Mais ce serait oublier que la fonction de service

y a également cours. La « fille des bois » naguère enlevée, baptisée, condamnée à être épouse modèle ou vierge martyre cède progressivement la place à la femme forte, lubrique et tendre, qui initie le Blanc aux jeux amoureux. L'homme indien est pour sa part pourvoyeur de ressources naturelles qui englobent aussi parfois les contre-valeurs érotiques.

Un effort est tout de même tenté pour rendre justice aux Indiens. Albert Ferland les dépeint favorablement dans plusieurs de ses poèmes. Léopold Desrosiers tente de cerner la cause de leur décadence dans ses premiers récits, mais dans son roman le plus connu, *Les Engagés du Grand Portage*, ils sont ceux par qui le Nord sauvage communique avec le Sud civilisé. Un rôle analogue est prêté par Louis Hémon aux fournisseurs de fourrures dans *Maria Chapdelaine*. Modifier la fiction exigerait un réaménagement du rapport social. Avant d'échouer au musée de l'art primitif, l'Indien est passeur, chasseur, coureur de bois, guide des Blancs dans le Grand Nord.

Il est nature, et la nature a parfois ses bons côtés. Par moments, la littérature québécoise aime se représenter l'enclave indienne comme le lieu de résistance à l'urbanisation, à la dépossession du corps, offrant cette écologie du plaisir et de la liberté pouvant sauvegarder les espaces intimes non assujettis au cadastre civil ou à la morale puritaine. La fascination de la différence prend alors figure de similitude. On veut ressembler à l'Autre, ce bon sauvage dix-huitiémiste fruit d'un heureux mélange d'hédonisme et de gai savoir, être fier non touché par ce qui nous écrase : la cupidité, le capital, les conflits de pouvoirs, les louvoiements timides, les culpabilités honteuses. Ouvrons *L'Élan d'Amérique* d'André Langevin (1972) ou *Le Dernier Été des Indiens* de Robert Lalonde (1982), et nous trouvons partout présente la tentation de transformer la puissance animale totémique en contre-valeur de rébellion, de régénérescence et de transgression.

La violence avec laquelle la critique québécoise a reçu le roman de Lalonde révèle cependant combien l'Indien ne peut être fantasmé comme objet de désir sans « dénaturer » l'ordre social. Dans l'esprit de la loi, la culture est masculine, la nature féminine. Laisser à l'Indien l'initiative des rituels initiatiques, c'est donner au Blanc statut d'objet et le soustraire à la société des hommes. La réaction fut autre à Paris. Cette réincarnation du bon sauvage ravit la critique. Deux régionalismes hauts en couleur donnaient du relief à la carte postale expédiée du Nouveau Monde.

Du côté de l'Éden, seule la femme indienne pourra jouer sans risque ce rôle de passeuse, Béatrice aux pieds nus se faisant l'initiatrice des splendeurs occultes. *Le Chant de l'Iroquoise* d'André Maillet (1967), *L'Iroquoise* de Bernard Clavel (1979), *La Mort d'Alexandre* d'Yvon Paré (1979), *Volkswagen Blues* de Jacques Poulin (1983), *Pour l'amour de Sawinne* de Roger Fournier (1984) sont autant de réincarnations de la vierge indienne, parfois dévoyée en personnage érotique, qui fraie avec les Blancs, leur révèle les sources de la vie, les conduit vers les terres inconnues du continent sauvage soustrait à l'influence civilisatrice.

Dans tous ces itinéraires, l'identité blanche n'est nullement affectée. Au contraire, elle en ressort victorieuse, plus forte, plus riche, plus ancrée dans sa détermination de dissidence ou d'affirmation. Si, individuellement, ces emprunts semblent s'accomplir sous le signe de la spontanéité, collectivement, le recours à l'identité indienne paraît devoir servir des acquis, garantir un profit politique ou symbolique. Par suite de l'éradication de la généalogie française et de l'impossible insertion dans la généalogie américaine, nous serions tentés d'emprunter la généalogie amérindienne comme support historique. Dans *Un monde était leur empire* (1943), Ringuet restitue aux Indiens leur splendeur précolombienne et suggère de rattacher notre passé à l'histoire des Amériques plutôt qu'à l'histoire européenne.

> N'est-il pas profondément regrettable que l'habi-
> tant des actuelles Amériques, quelle que soit son
> origine, ne songe point à annexer tout cela à son
> propre passé et qu'il ne consente point à ce que
> l'histoire de son pays soit, non pas comme main-
> tenant l'histoire de la Terre qu'il habite et que
> d'autres, des hommes comme lui, avaient habitée
> avant lui [23].

L'idée est généreuse. On en retiendra la tentation annexion-
niste. « L'Amérique a déjà été nôtre », affirmera plus tard
Victor-Lévy Beaulieu, « c'est seulement depuis que nous
nous identifions québécois que nous sommes petits [...] [24] ».
L'Amérique au singulier est le continent des Blancs. Il ne
s'agit plus tout à fait du même projet.

Ce courant de pensée devait avoir sa contrepartie féminine.
Au sein des lignées culturelles, les grandes absentes sont
d'abord les femmes. Dans la quête d'identité animant la
recherche féministe et le désir d'américanité, on sera bientôt
tenté de se découvrir une parente indienne, un cousinage
rouge, à tout le moins quelques gouttes de sang cuivré.
Dans les années 70, des femmes écrivains proposent de
constituer des généalogies qui incluraient l'Indienne, son
agir, son imaginaire, sa descendance.

Ainsi, Jovette Marchessault met sa grand-mère indienne à
contribution du projet révolutionnaire proposé dans sa
trilogie *Comme une enfant de la Terre* (1975–1980). C'est
par la filiation des mères que passera le réaménagement
social préfiguré par l'aïeule iconoclaste, conteuse et pro-
phète, qui entraîne l'enfant dans l'épiphanie des signes
sauvages et lui décrit la grande configuration cosmique du
Nouveau Monde : « Tout l'espace de l'Amérique va se regarder, se reconnaître [25] ». Dans cet espace reconstruit par
l'énergie vitale des mères, les femmes récriront l'histoire en
y inscrivant les noms omis, réunissant dans un même texte
— même si la juxtaposition de certains noms étonne —
« Marie de l'Incarnation, Marguerite Bourgeois, Jeanne
Mance, Madeleine de Verchères, Kateri Tekakwita [26] ».

Cherchant pour sa part à situer sa parole et son écriture à l'encontre de «la fiction qui constitue l'histoire[27]», Madeleine Gagnon évoque le souvenir de la grand-mère huronne précédant le «fils indien» auquel elle donne naissance en même temps qu'elle tire de l'oubli, par ses livres, les ratures et les biffages de l'histoire des femmes.

La revendication de l'appartenance amérindienne peut également servir d'autres fins. Elle sert, par exemple, chez Yolande Villemaire, à affirmer le postulat d'américanité et à justifier la transgression des codes de vie et d'écriture. «Notre génération a été de l'époque qui a compris notre racine américaine», déclare-t-elle avant d'ajouter :

> [...] je dirais, *par ruse*, que je suis Amérindienne. Je suis de race rouge. Au niveau de la mémoire du sang. Rouge comme la passion. Rouge comme le Fils du Soleil, les Filles du Feu. Rouge comme le désir et la violence. Rouge comme l'interdit[28].

La modernité, transgressante, parie sur la mémoire interdite. L'origine française et ses modes d'inscription du réel sont mis en échec par cette autre origine, plus ancienne, qui ouvre la voie à l'américanité, synonyme de modernité. L'attrait du désir sauvage englobe l'attraction de l'identité américaine. La ruse consiste à emprunter au monde américain, soustrait à l'emprise européenne dans lequel s'inscrivait l'imaginaire québécois, de quoi valider ce saut dans le futur produit comme naturel puisque voulu par la loi du sang. Une différence extrême peut ajouter à une différence imprécise une identité plus franche, un poids de persuasion plus grand.

Ce bref survol de la perception de la différence indienne en littérature semble indiquer qu'à travers les variantes qu'on lui a fait subir, la sauvagerie amérindienne a surtout été une sauvagerie d'appoint. Tant à l'époque coloniale qu'à l'époque postcoloniale, elle a dû satisfaire le narcissisme de l'ego occidental et répondre aux exigences économiques et politiques qui lui dictaient sa finalité et sa fonction.

1. C'est l'heure où Gobineau déclare, par l'anatomie comparée, que le cerveau du Huron — le meilleur pourtant d'entre les sauvages — ne saurait contenir, même en germe, l'équivalent d'un cerveau européen.

2. MONTAIGNE, « Des Cannibales », dans *Essais*, tome 1, Paris, Club Français du Livre, 1962, (Collection « Les Portiques »), p. 229.

3. D. DIDEROT, *Supplément au voyage de Bougainville*, Paris/Baltimore, Droz & Hopkins, 1935, p. 179-180.

4. CONDILLAC, *La Langue des calculs*, 1760. Cité par Pascal Bruckner, *op. cit.*, p. 188.

5. F.-René de CHATEAUBRIAND, *Mémoires d'Outre-tombe*, Paris, Éditions Garnier, 1925, tome 1, p. 393.

6. LAHONTAN, *Nouveaux voyages en Amérique septentrionale*, présentation de Jacques Collin, Montréal, L'Hexagone/Minerve, 1983, (Collection « Balises »), p. 184.

7. VOLTAIRE,« Entretiens d'un sauvage et d'un bachelier », dans *Dialogues et anecdotes philosophiques*, Paris, Classiques Garnier, 1966, p. 95-103.

8. Il s'agit de son *Histoire philosophique et politique des établissements et du commerce des Européens dans les deux Indes*, où 130 pages sont consacrées à la Nouvelle-France.

9. Jacques CARTIER, *Voyages en Nouvelle-France*, Montréal, Cahiers du Québec/Hurtubise HMH, 1977, (Collection « Documents d'histoire »), p. 146-147.

10. *Ibid.*, p. 54.

11. *Ibid.*, p. 55.

12. *Ibid.*, p. 60.

13. *Loc. cit.*

14. *Ibid.*, p. 61.

15. *Ibid.*, p. 59.

16. *Ibid.*, p. 146.

17. Benjamin SULTE, *Histoire des Canadiens français 1608–1880*, tome III, Montréal, Wilson et Cie, 1882–1884, p. 67.

18. Maximilien BIBAUD, « Discours préliminaire sur les origines américaines », dans *Institutions de l'histoire du Canada ou Annales canadiennes jusqu'à l'an MDCCCXIX*, Montréal, Sénéchal et Daniel, 1855. Cité par Donald B. SMITH, *Le « Sauvage »*, Montréal, Cahiers du Québec/Hurtubise HMH, 1979, p. 31.

19. Lionel GROULX, *Histoire du Canada français*, tome 1, Montréal, Fides, 1962, p. 54.

20. Théodore-Marie PAVIE cité par Benjamin SULTE, « Le Canada en Europe », dans *Revue canadienne*, n° 10, 1873, p. 290, lui-même cité par D.B. SMITH, *op. cit.*, p. 81. Nous soulignons.

21. Compte rendu de la conférence par George COURCHESNE, « Une soirée d'Action française à Boston », dans *Action française*, n° 2, 1918, p. 517.

22. À ce propos, voir l'étude de Sylvie VINCENT et Bernard ARCAND, *L'Image de l'Amérindien dans les manuels scolaires du Québec*, Montréal, Cahiers du Québec/Hurtubise HMH, 1979, (Collection « Histoires amérindiennes »).

23. RINGUET (Philippe Panneton), *Un monde était leur empire*, Montréal, Éditions Variétés, 1943, p. 343.

24. Cité par Danielle RACELLE-LATIN, « Victor-Lévy Beaulieu ou la crise narcissique de l'écrivain québécois », dans *Lectures européennes de la littérature québécoise*, Actes du Colloque international de Montréal (avril 1981), Montréal, Leméac, 1982, p. 205.

25. Jovette MARCHESSAULT, *La Mère des herbes*, Montréal, Éditions Quinze, 1980, p. 94.

26. *Ibid.*, p. 94.

27. Madeleine GAGNON et coll., *La Venue à l'écriture*, Paris, Union générale d'éditions, 1977, (Collection « Inédit »), p. 103.

28. Jean ROYER, « Yolande Villemaire : La vie en prose », dans *Le Devoir*, 7 mars 1981, p. 20. Nous soulignons.

7

LA FRANCE D'EXTRÊME-OCCIDENT EN POLAROÏD

[...] *je sens glisser contre mon flanc, contre ma joue, un grand pays endormi et sauvage.*

Michel TOURNIER

Le Canada littéraire est la consolation de nos âmes ou trop lasses ou trop byzantines.

Alain BOSQUET

Le champ des possibles

[...] le pittoresque d'un éloignement dans le temps et dans l'espace.

Robert KANTERS

À distance, la nature sauvage fait rêver. Trop proche, c'est-à-dire inscrite dans un rapport social qui en fait l'épreuve, elle gêne ou déçoit. L'exotisme se complaît dans l'universel. Il répugne au particulier.

L'Amérique au singulier, qui joua et joue toujours d'une certaine façon pour l'Europe le rôle de métaphore du lointain, de mythe des origines, devait un jour ou l'autre poser des questions à l'altérité. Car si l'institution littéraire se laisse capter par le charme discret de la différence lorsqu'un espace géographique et culturel suffisamment marqué l'en sépare, elle se sent déroutée et confesse sa déconvenue lorsque l'Autre renvoie l'image du même au détour d'une distance historique trompeuse.

Persévérer à trouver l'Autre étrange est relativement facile quand cet autre, comme l'Indien, se révèle totalement étranger. Mais comment se fortifier contre l'Autre quand celui-ci affiche des traits qui trahissent un même rapport à l'origine et réduisent par le fait même le recours à la métaphore? Devant l'impossible distanciation et l'hypo-thétique proximité, quel mode de marquage utilise-t-on pour renvoyer à un au-delà du mythe une différence proche qui interdit la projection de soi dans un Ailleurs totalement différent ?

Dans ce cas, comment est perçue la différence face au double gémellaire dont il faut s'accommoder, ou que le dépit amoureux ou l'orgueil blessé incitent à répudier ? C'est ici qu'intervient le regard jeté par l'ex-métropole sur la littérature québécoise. Regard qui, à bien des égards, n'est que l'extension ou la prolongation du regard initial jeté sur le continent neuf par l'ancien continent.

Il y a deux décennies, Jacques Sternberg écrivait dans la préface d'une anthologie de Stephen Leacock publiée chez Julliard : « Tout peut arriver sur cette planète. Le Canada que l'on croyait exclusivement producteur de bois et de fourrures aura quand même donné à la littérature d'humour un élément de première importance : Stephen Leacock. » En est-on resté à ce schéma simpliste qui condamne l'ex-colonie à satisfaire des besoins liés à une économie des échanges indifférente à l'art et au passage du temps ?

Découvrez partout une part de vous-même

> Contemple-les, mon âme, ils sont vraiment affreux.
>
> BAUDELAIRE

En 1972, l'académicien Michel Tournier reçoit une bourse du Conseil des Arts du Canada pour explorer le territoire de l'Atlantique au Pacifique avec son photographe Édouard Boubat. Cinq ans plus tard — on a mis du temps à exécuter le pensum —, paraît aux éditions La Presse un livre intitulé *Canada, journal de voyage*, qui s'apparente, par certains côtés, aux récits de voyage de Jacques Cartier.

La préface du journal nous entretient de trois choses. D'un livre que Tournier préparait alors sur le thème de la gémellité et dont ce périple devait, croyait-il, hâter la résolution. De l'engouement qu'une communauté hippie, dépêchée par « la forêt canadienne » à l'hôtel Ritz-Carlton de Montréal où il logeait, éprouva pour son roman *Vendredi ou les limbes du Pacifique*. Du parti pris de dénigrement face au pays d'accueil pour lequel l'auteur en appelle à l'autorité maternelle : « Ma mère est la dernière personne au monde qui laissera échapper tel défaut, telle faiblesse dans ce que j'écris [1]. »

Voyons comment s'ouvre ce voyage au pays lointain où l'étrange ne se justifie pas de l'étranger.

> Mardi, 5 septembre 1972. On s'en va. Boubat et moi. Découvrir le Canada. Le Nouveau Monde. 9 976 000 kilomètres carrés. Presque 18 fois la France. D'abord sept heures de 747. [...] Je me dis : sept heures, c'est Paris-Avignon en Mistral. On se raccroche à ce qu'on peut [2].

Se raccrocher à l'origine permet de fuir l'inattendu de la découverte et l'angoisse du dépaysement. Paris-Avignon, c'est le pape et le roi, la monarchie et la chrétienté. Le Nouveau Monde, c'est la terre vierge où se déroulent les images du premier livre parcouru, le *no man's land* où s'effectue la relecture du lieu où l'enfant devient homme dans un climat œdipien.

> Comme tous les enfants d'autrefois, je n'avais pas besoin de la révolution écologique pour aimer passionnément le Canada. Plus encore que l'arbre, le lac, la neige et une faune admirable, c'était pour moi la terre d'un certain commencement, ou recommencement. Paradis terrestre, oui, mais non par ses fleurs et ses fruits, non par un climat mol et délicieux. Paradis terrestre parce que première terre habitée par le premier homme. Le trappeur dans sa cabane de rondins avec son fusil, ses pièges et sa poêle à frire, subvenant seul à tous ses besoins, durement, dangereusement, tel était l'Adam originel, patient, ingénieux et athlétique que nous voulions tous être — plutôt que celui de

la Bible déjà encombré d'un père autoritaire,
Jéhovah, d'un oncle scandaleux, le Serpent, d'une
épouse geignarde [3].

Une fois devenu adulte, l'enfant ne se satisfait plus du récit
de la genèse. Il veut découvrir. Il veut faire œuvre. Il veut
inventer un monde. Il sera à la fois Colomb, Cartier,
Gutenberg et Tournier. Le pays neuf regorgeant d'arbres et
de ressources naturelles sera la matrice du livre, la pâte à
papier qui en formera la moelle.

> Boubat et moi, *nous allons créer* : le Canada. On
> nous l'a assez dit : le Canada, ce n'est pas Hong-
> Kong, ce n'est pas Ouagadougou, ce n'est pas le
> détroit de Magellan. Pas trop de pittoresque. Pas
> du tout même. Des gratte-ciel et des forêts. Des
> autoroutes et des lacs. Peuplés de citadins-paysans
> comprenant une forte proportion d'oblats de Marie-
> Immaculée. Nous n'en demandons pas davantage,
> Boubat et moi. Le pittoresque, c'est bon pour les
> touristes. La Tour de Pise et le Pont des Soupirs.
> Nous, nous sommes des créateurs, des inventeurs,
> des génies. Et puis, il n'y a pas qu'un Canada, il y
> en a deux. Celui où nous allons et l'autre — celui
> de notre cœur — le climat qui va lui permettre
> d'éclore, de s'épanouir, de devenir *une œuvre,
> notre œuvre*. À l'égard du Canada où nous allons,
> nos exigences sont modestes : qu'il veuille bien
> être le réceptacle de *notre œuvre*. 9 976 000 kilo-
> mètres carrés, ce sera suffisant, je pense [4].

Deux Canada, ce n'est pas une œuvre, c'est un compromis.
Les augures sont bons. Le héros du *Roi des aulnes*, Abel
Tiffauges, a découvert une première fois cette « province de
rêve » dans les romans de Curwood, et une seconde fois
dans une hutte en rondins de la Prusse-Orientale où il se
trouva prisonnier pendant la dernière guerre [5].

Deux jours plus tard, Tournier place en épigraphe de son
journal cette phrase lue sur des sachets de sucre en poudre

d'un restaurant d'Ottawa : *Explore a part of Canada and you'll discover a part of yourself*. Le 9 septembre, il passe une nuit blanche à contempler « la beauté radieuse » de son prochain roman, *Les Météores*. Le 11, il termine la lecture des mémoires de Simone de Beauvoir et s'en prend à un chauffeur de taxi de Charlottetown affligé d'un bec de lièvre. « Anglais + accent local + bec de lièvre = grande difficulté de communication pour qui parle mal l'anglais et pas du tout le Charlottien et le lièvre[6]. » Le lendemain, il débarque aux Îles de la Madeleine, « berceau du Canada », et jouit de reconnaître le paysage du *Roi des aulnes*, avant de s'approcher du port où pourrissent de vieux chalutiers aux ponts gluants qui distillent en lui l'horreur de l'épave.

Le 14 septembre. Après avoir eu des haut-le-cœur en visitant une fabrique de harengs fumés de l'île, il est reçu par un météorologiste, « géant roux très accueillant », à qui il soutire la scène de la maison météorologique qui figurera dans *Les Météores*. Pour finir, il dresse la liste obligée du lexique régional.

« Petit vocabulaire canadien-français :

> *le traversier* : le car-ferry
> *les fèves* : les haricots (verts ou blancs)
> *la porte est barrée* : fermée à clé
> *faire une pose* : faire une photo
> *il me pose* : il me photographie
> *la tabagie* : le bureau de tabac
> *le barbier* : le coiffeur (pour hommes)
> *les scalopes* : les coquilles Saint-Jacques
> *déjeuner, dîner, souper* : petit déjeuner, déjeuner, dîner
> *rôtie* : toast
> *envolée n° 7628* : vol n° 7628
> *un seul morceau de bagage* : un seul bagage
> *chauffer dans la noirceur* : conduire de nuit
> *des patates pilées* : de la purée de pommes de terre

> *des liqueurs douces* : boissons sans alcool (coca,
>   soda, etc.)
> *des bleuets* : des myrtilles
> *un Christ de beau char* : une très belle voiture
> *une hostie de show* : un très beau spectacle, etc.[7] »

Le 15 septembre. Dans l'avion qui les ramène à Ottawa,
Tournier et Boubat se plongent dans les Saintes Écritures.
Le premier prend acte de la décrépitude de son sexe, de
l'obésité des Canadiens, de l'orgie de lumières qui éclairent
les villes 24 heures sur 24, d'une sculpture en forme de gros
intestin trônant dans la capitale fédérale comme « un
monument à la gloire de la défécation[8] ».

Le 18 septembre. Non loin de Montréal, Tournier est reçu à
« souper » par une famille « nombreuse et joviale », où le fils
aîné « paraît fort comme un cheval », dont la « rusticité »
étonne. « À quoi cela tient-il ? » se demande le voyageur.
« D'abord bien sûr, à l'accent à la fois traînant et nasillard
qui paraît invraisemblable, presque caricatural[9]. » Et notre
invité de déplorer la pauvreté intellectuelle d'un milieu que
des « relations aussi étroites que possible avec la France »
devraient enrichir.

Le 19 septembre. Passage à Montréal, triste copie de New
York. 21 septembre, Québec. Jour de chance. L'auteur
trouve au kiosque à journaux de l'aéroport ce que l'on
chercherait longtemps dans nos fonds d'archives, un exemplaire des *Gloires de Marie* de saint Alphonse de Liguori,
ouvrage dont s'inspirait autrefois son curé bourguignon.

Le 22 septembre. Départ pour l'Ouest. Le lendemain, dans
sa chambre d'hôtel de Vancouver, l'académicien rédige des
cartes postales, capte en direct sur sa TV-couleurs la
retransmission d'un match de rugby américain et joue au
voyeur avec ses jumelles : « Ils m'observent les observer
m'observant les observant [...][10]. »

De retour à Ottawa, il note que seul le « riche Anglais » sait voyager, contrairement aux « natifs » — « décentrés » — ces Canadiens français qui s'entêtent à afficher « leur côté rustique, cul-terreux, homme des bois, tout à l'opposé de l'anglophone urbain et cosmopolite [11] ». Il prépare ensuite un article sur Kandinsky, assiste à un spectacle de Léo Ferré qui lui est prétexte à dresser le palmarès des auteurs-compositeurs-interprètes français. Puis, dans un cours donné par un de ses compatriotes, il reprend à son compte les mots de Baudelaire : « Contemple-les, mon âme, ils sont vraiment affreux [12]. »

Bilan du journal : 32 pages illustrées sur Vancouver, 23 sur Ottawa (dont deux photos : le *milk bar* et la sculpture anale), 3½ pages sur Calgary. Mais 14 lignes sur Montréal (sans photos), 2 pages sur Québec, et 12 pages sur les Îles de la Madeleine avec bicoque vétuste, charrette et attelage appuyés de la légende « *Ici triomphe la rusticité et même la rusticité de la vieille France* ».

Lundi, 2 octobre. Dénouement du voyage. Quand le 747 transportant les grands explorateurs se pose sur la piste d'atterrissage à Orly, les « natifs » qui se trouvent à bord applaudissent. Conclusion en point d'orgue : « peut-être ces applaudissements saluent-ils simplement la réussite de notre découverte du Canada [13]. »

Voilà. Le pays vient d'être redécouvert. Boubat et moi, c'est tout ce qu'on a vu du Canada. Le voyeur s'est regardé écrire, distillant son mépris sur tout ce qui blessait son narcissisme. Une photo pleine page nous livre « la panoplie de l'écrivain en voyage », dont le bloc-notes où fut expurgé l'excès de bile prenant la forme d'un récit dont la clef nous est offerte : « le roman n'est rien d'autre que le modèle dont le réel s'inspire tant bien que mal pour prendre figure [14] ».

Ce modèle, c'est la métaphore crevée. Partis pour la « France d'Extrême-Occident », la quête du « Graal », l'exploration de l'espace « intergémellaire », on est resté aveugle au pays et à ses habitants. Le film de Boubat est resté coincé sur un plan fixe de 1760. On rapporte quelques belles scènes pour de prochains romans, une façon comme une autre de soutirer de la matière première, mais il n'y aura pas de livre sur « le Canada ». Seulement un minable cahier destiné à l'ex-colonie, où se trouve relaté comment le brillant Gémeau Pollux tua son horrible frère Castor.

Moi, cet affreux ? Jamais. Si le grand mythe des origines se refuse, si la nature au naturel est odieuse, laissez-moi cracher ma rage et préférer l'utopie américaine. Les U.S.A., c'est fait pour ça. Quand l'Europe est fatiguée, elle se tourne de ce côté. Là-bas, les différences sont moins frappées de similitude. La mémoire y est moins lourde à porter.

Le livre de Tournier est la version caricaturale des récits de voyage de Jacques Cartier. On se donne moins pour but d'explorer le lieu découvert que d'établir la preuve de ce que l'on veut découvrir. Là-bas se trouve une nature archaïque, aisément figurable, dont la culture peut de quelque façon tirer profit. Mais pour que l'opération réussisse, cette nature doit rester telle, hors de l'histoire, sans voix, sans identité, fascinée par qui vient d'ailleurs et lui fait la grâce de l'apercevoir et de la nommer.

Les « natifs » de Terrebonne qui reçoivent l'académicien à souper sont remplis de fascination béate. Remplis de *nouda*, cette naïveté joyeuse du bon sauvage qui s'ébahissait de voir l'équipage de Cartier déballer sa pacotille. Et dans la communauté hippie qui idolâtre son roman, la jeune femme nue sortie du bain qui « jette ses bras mouillés autour du cou » du visiteur, répète la scène des femmes indiennes surgies de la mer pour acclamer le découvreur du Canada : « (elles) vinrent franchement à nous et nous frottaient les bras avec leurs mains, et puis levaient les mains jointes au ciel, en faisant plusieurs signes de joie [15]. »

La parenté des traits, la similitude de certaines scènes, leur transcription parodique convergent vers un même but.

Cartier et Tournier jouent un rôle analogue. Celui d'amener des êtres primitifs — qui mangent, fêtent, vivotent, parlent une drôle de langue — à produire une sauvagerie porteuse des indices de naturalité qui déterminent leur absence du champ culturel. Tous ces indices trahissent un rapport à la nature influencé par la géographie du lieu.

Ce lieu ne sera donc jamais perdu de vue. Il deviendra même, avec ses caractères physiques, la seule véritable matière du livre. Utilisé comme intrigue ou traité comme personnage, il constituera, dans l'établissement du degré de naturalité, la justification des rapports de subordination qui prévalent entre le centre et la périphérie.

Le paysage intrigue

> La critique française conçoit moins la littérature en général et le roman en particulier comme une plongée dans l'inconscient collectif que comme une visite organisée d'une sorte de jardin à la française, dessiné et entretenu par des générations successives de jardiniers-littérateurs et où l'agencement des massifs et l'ordonnance des allées demeurent immuables, même si les floraisons exotiques y sont parfois admises.
>
> Jacqueline GEROLS,
> *Le Roman québécois en France*

Lorsqu'une instance littéraire jouissant du statut de centralité arrête son regard sur la production culturelle des communautés excentriques, elle présente souvent celle-ci comme l'émanation d'un lieu global et non comme l'élaboration de sujets singuliers. Et les sujets y figurent-ils qu'on aura tendance à les définir eux-mêmes par le lieu géographique, représentation physique de la place occupée dans l'espace social. L'effet de nature doit corroborer l'effet de raison présidant à la distribution des places et à la reconnaissance du degré de pertinence et de légitimité consenti.

Une littérature éloignée de l'aire centrale d'accréditation est sans cesse appelée à produire les preuves de sa non-centralité. On la situera sur une scène régionale, affublée des marques de naturalité qui signent sa marginalisation. En tant que littérature excentrique, la littérature québécoise autorise la double distance requise par l'exotisme : distance géographique fondée sur l'éloignement, distance mythique induite par la mise à l'écart de l'histoire.

À ce propos, on veut des faits. Et comme il n'y a rien de plus naturel que la nature, le paysage vient en tête. Il l'emporte sur l'œuvre. Ou plutôt, il est l'œuvre elle-même. Ailleurs, le pays est fait de paysages. Ici, le paysage fait l'œuvre et le pays. « Ce livre est celui des grands espaces immobiles sous la neige », jubile-t-on à la sortie de *Kamouraska* d'Anne Hébert. Le froid, la neige, les grands espaces, les immenses forêts du Grand Nord constituent le décor obligé du théâtre exotique qui apporte ivresse et dépaysement. Dès lors se vérifie l'élaboration de lieux communs qui se substituent aux lieux réels. Voyons de près la mise en scène utilisée par la critique française à la sortie de ce roman d'Anne Hébert. Elle reflète assez bien l'interprétation courante du livre québécois.

> Un *décor* de neige et de froid [...] [16].

> Un sombre *drame* de sang se déroule dans les vastes espaces [17].

> Et l'on serait bien en peine de prêter à son livre un autre *décor* que celui des villes et de vastes plaines engourdies par la neige et le froid [18].

Mais ce paysage est plus qu'un décor. Il est le ressort de l'intrigue. Ou mieux, il est l'intrigue et le langage lui-même. Car la grande nature sauvage agit, construit le drame, dicte des passions que l'écrivain n'a plus qu'à transcrire. Avoir du talent, c'est se mettre à l'écoute de cette puissance redoutable et en capter la voix : « C'est là où le talent de

Madame Hébert fait merveille, c'est là où cette terre incon-
nue de nous montre sa force tellurique [19]. »

La nature est langage, et le langage est nature. Le roman
fond en une parfaite symbiose les éléments narratifs sous
le coup de forces prodigieuses attribuables à l'effet d'un
« *miracle naturel* : l'accord parfait d'un sang et d'un pays [20]. »

Pour mener l'action à bien, la nature se choisit des opposants à sa mesure : « ce sont des hommes durs qui affrontent
la nature », sent-on le besoin de préciser. Dans « ce pays de
poudrerie » où l'individu se meut dans un univers écrasant,
elle lance sur la ligne de front des mâles aguerris par la
lutte de la survie que l'ampleur du défi exalte ou décourage.
Mais le combat est perdu d'avance. Dans un tel climat, on
ne peut que « survivre dans un état voisin de la congé-
lation [21] ».

L'influence civilisatrice pourrait dompter cette nature
implacable. Mais comme son intervention se limite au
regard distrait que de fins lettrés jettent sur les cartes
postales que l'on se passe d'une officine à l'autre, la nature
retourne à elle-même, inchangeable, inchangée, figée dans
ses cycles et ses rythmes légendaires.

L'insistance à faire la preuve de naturalité incite à fournir
des indices ethnographiques supplémentaires : caractérisation de l'habitat, du vêtement, des modes de transport,
détails illustrant des usages régionaux. On met l'accent sur
des pratiques archaïques, des modes de vie périmés, ou trop
particuliers, qui ne laissent planer aucun doute sur le lieu
de provenance du texte. Et puisque dans la sémiologie de la
régionalisation toutes les marques s'équivalent de par leur
fonction même — démarquer la périphérie du centre —, un
auteur et son livre deviennent représentables par un seul
élément ethnographique.

C'est ainsi que l'on précise à propos du roman *Les Fous de
Bassan* :

> Il n'y a pas si longtemps, une « canadienne », pour
> nous autres, évoquait surtout les longues vestes
> fourrées que portaient nos pères, au temps glacé
> de l'Occupation. Avec, peut-être, au fin fond de la
> mémoire, par association d'idées, la silhouette
> frileuse et factice de « Maria Chapdelaine », inven-
> tée à notre usage par un Français des années 20 [22].

La référence à l'ex-métropole, sans qui l'œuvre n'existerait
pas, confirme la position du centre, ce lieu où s'écrit
l'histoire, où s'accomplissent les choses importantes — la
guerre, l'occupation, la courageuse action des pères — par
opposition à la périphérie, où s'agitent des silhouettes
fictives destinées à satisfaire le besoin d'exotisme, ce « léger
dépaysement qui fait toujours le charme de nos lectures
canadiennes [23] ».

Du pays au dépaysement, le pas est vite franchi. La lecture
du livre, à l'égal de son écriture, est caractérisée par le
pays. On ne lit pas. On fait des « lectures canadiennes »,
cédant au besoin quelques arpents de neige aux Américains
pour allonger le documentaire. « Un roman dont l'action se
passe en Alaska », soulignait-on à propos d'*Agaguk* d'Yves
Thériault. « Le nom de Kamouraska [...] rime avec Alaska »,
précise *Le Figaro* à la parution du best-seller qui fait rater
le test de géographie.

Le pays personnage

> C'est le Canada qui nous parle. Il parle savoureux.
>
> Étienne LALOU

L'urgence à nommer le paysage, et à le présenter comme
figure anthropomorphique dotée de traits humains, incite
souvent la critique à placer le nom du pays dans le titre de
l'article, comme le fait Tournier dans son livre *Canada,
journal de voyage*.

« Le Canada enfin ! » s'exclame Alain Bosquet dans *Combat* à propos de *L'Avalée des avalés* de Réjean Ducharme, comme s'il se trouvait face à un personnage brusquement surgi. « Canada sauvage. Canada profond », lance pour sa part Henry Bonnier à la sortie de *Kamouraska*. « D'un Canada à l'autre » titre *L'Express*, à propos d'Anne Hébert et d'Antonine Maillet, où l'on s'offusquerait, sans doute, de voir un Jacques Laurent tenu d'être « La vieille France libertine » ou un Michel Tournier renvoyé « Au sein du Marché commun ». « Le Canada inattendu d'Anne Hébert », s'étonne *Le Monde* à l'occasion de la sortie du roman *Les Fous de Bassan*, feignant de surprendre afin de mieux renforcer les stéréotypes : « Les trois romans canadiens de cette rentrée [...] sont intéressants à des titres divers ; et en premier lieu parce qu'ils présentent trois Canada bien différents [24] ».

Trois plus trois font six. Dans la littérature exotique, il y a l'aire du désert et l'aire des plaines, le registre des terres fécondes et celui des terres stériles, les extrêmes du chaud et les extrêmes du froid [25]. Mais la multitude des possibles confinés à l'opposition est vite ramenée au chiffre un. Le pays personnage attire le regard qui l'arrache à sa singularité pour le river à la scène des provincialismes étriqués rendant l'écho de nostalgies anciennes.

> Les œuvres qui nous arrivent du Canada sont pour nous *autre chose que des romans* ou des *poèmes. Ce sont des messages.* Nous y lisons à chaque ligne, presque à chaque mot, la nostalgie de la patrie perdue [...] [26].

Si nous voulons savoir ce que deviennent les messages jetés dans la boîte aux lettres parisienne, revoyons, par exemple, la monographie consacrée à Anne Hébert dans la collection « Poètes d'aujourd'hui » aux éditions Seghers. Sur les 60 illustrations offertes, on nous présente 55 photos de paysages, 2 cartes géographiques, les armoiries du Québec et une photographie du Parlement de la vieille capitale. Est-ce assez de dire que l'œuvre témoigne moins d'une réalisation culturelle que d'une réalité politique utile au groupe colonisateur.

Cette focalisation sur le pays trahit des enjeux qui se révèlent au fil des critiques. Derrière l'appréciation enthousiaste, la réticence cavalière ou la mise en garde paternaliste, s'énoncent quelques questions toutes simples. Dans quelle mesure ce territoire d'outre-mer peut-il servir les intérêts de l'ex-métropole ? Jusqu'où peut-il témoigner de la présence française en Amérique du Nord et représenter des pouvoirs anciens ou actuels ? Comment peut-il servir de facteur de renforcement dans la stratégie des échanges commerciaux et culturels ? Une seule personne, un seul écrivain ne saurait jouer tous ces rôles. Il faut donc parler « moins en son nom qu'en celui de tout un peuple [27] ».

Le pays personnage qui occupe la scène du récit oblige les protagonistes à emboîter le pas. Car c'est tout l'univers romanesque et fantasmatique qui est réquisitionné pour la bonne cause. S'agit-il de conflit œdipien, de drame métaphysique, d'exploration verbale ? L'affaire individuelle est aussitôt branchée sur le politique, affectée à la fonction d'énonciation collective. Personne n'y échappe. Réjean Ducharme mène le combat de la francité et de la canadianité avec le même courage et, semble-t-il, dans les mêmes termes que Jacques Godbout ou Anne Hébert.

> Godbout nous *touche parce qu'il est Canadien*, parce qu'il utilise le roman comme un *manifeste politique* [...] [28].

> Le narrateur Réjean Ducharme revendique avec orgueil sa *nationalité de Canadien français* [...] Ce livre est un *manifeste de combat*, un *pamphlet terroriste* qui appelle à l'*insurrection*, décrète l'*état de siège* [...] [29].

> Sa véritable chance, c'est d'être *canadien*. Son succès serait un beau geste pour la francophonie [30].

> Anne Hébert est l'*une de ces Canadiennes* qui
> paraissent tranquilles et qui bouillonnent. Elle fut
> l'une des premières à révéler que ses compatriotes
> muets vivaient une crise violente, étouffée, silen-
> cieuse [31].

Ce « Canada » est de même famille que « Canadien » et son
dérivé, plus moderne, « Canadien français ». Il désigne la
branche légitime, cette communauté en exil issue du peuple
fondateur qui accomplit la mission héroïque : implanter la
civilisation française en terre d'Amérique. Ses écrivains se
font un devoir de raconter « ceux qui laissèrent au pays du
Québec leurs fleurs de lys sur fond d'azur [32] ». Dans cette
réalité mythifiée qui annihile l'histoire, tout récit doit
payer tribut aux découvreurs du territoire, demeurer assu-
jetti au discours qui en consacra l'événement et en divulgua
les échos. Les œuvres ont donc tendance à être lues comme
un seul texte célébrant ou répudiant l'origine. « J'étais de
nationalité québécoise », écrit Jacques Ferron, « captif de
mon origine, participant à un discours commencé avant
moi, y ajoutant mon mot, ma phrase, un point, c'est
tout [33]. »

Dans leurs livres, les habitants de ce pays ont l'allure de
cousins de province perdus dans « une immense paroisse
d'Ancien Régime figée dans l'isolement de sa résistance
séculaire [34] ». Ou alors, quel beau contraste. Ils endossent
l'habit de maquisard, brandissent les armes et pourfendent
la puissance anglo-saxonne, engagés dans la lutte contre
l'anglo-américanisme.

> Ce livre est avant tout un réquisitoire contre la
> civilisation « américaine » [...] [35].

> Il (Jacques Godbout) fuit l'envahissement étouf-
> fant de l'American way of life [36].

> (Ducharme) est obsédé par les méfaits de la civili-
> sation américaine [37].

Aussi longtemps que ce combat témoigne des liens qui unissent l'ex-colonie au pays colonisateur, c'est-à-dire s'inscrit dans le prolongement d'une différence axée sur le profit et la similitude, les écrivains québécois bénéficient d'une lecture favorable malgré le retard qu'ils accusent sur la métropole. Mais il n'en va pas toujours ainsi lorsque l'auteur semble s'affranchir de la tutelle française. Le Québec n'est pas de fabrication française. En tant « qu'entité nationale (il) ne présente aucun avantage pour l'amour-propre français, puisque la France n'a pas participé à son élaboration et qu'il constitue une diminution de son aire d'influence [38] ».

Les ressortissants du pays paysage qui se soustraient à la suprématie parisienne peuvent s'attendre à des jugements acerbes, voire à de la méfiance ou même à une condamnation sans appel. On leur reprochera des faiblesses de langue, une « aculture provinciale », de la « qu'hébétude », un « folklorisme moralisant », tous ces qualificatifs visant à punir ceux qui ne déclarent plus l'appartenance d'origine au registre des productions symboliques.

> La grande particularité de *ces romanciers québécois* ou apparentés a semblé être jusqu'ici une abominable puérilité [39].

> Voici vingt ans, *avant l'invention du Québec*, l'écrivain s'exprimait plus ou moins dans le *français de France* [40].

Un auteur agréé est un auteur qui doit s'inscrire dans le créneau d'origine et les réseaux de pouvoir qui lui confèrent légitimité et universalité. Québec, zone marginale inapte à s'autolégitimer, ne peut qu'être objet de mépris. « L'œuvre [...] d'Anne Hébert dépasse depuis longtemps les frontières de *son Québec* [41] », disait de cette « romancière canadienne française » un critique qui la proposait pour le Goncourt.

Santé et saveurs culinaires

> Le plaisir de la table ne comporte ni ravissement, ni
> extases, ni transports, mais [...] il se distingue surtout
> par le privilège particulier dont il jouit, de nous disposer
> à tous les autres, ou du moins de nous consoler de leur
> perte.
>
> BRILLAT-SAVARIN,
> *La physiologie du goût*

Si, dans l'interprétation de la littérature québécoise
— comme dans la plupart des littératures excentriques —, le
paysage physique est aussi étroitement associé au paysage
politique, c'est que cette littérature est prétexte avant d'être
texte. Elle est le lieu où s'énonce, à travers elle et à propos
d'elle, ce qui détermine sa place et sa valeur.

Cette littérature-là est de service. Dépourvue de sujets, elle
est sujette à caractérisation. Créée par qui possède le
pouvoir de la découvrir, elle est toute extériorité. Son statut
semble tenir à la localisation géographique, qui lui impose
un rôle dicté par des raisons naturelles plutôt que par des
raisons historiques ou un quelconque rapport social. Elle
doit donc toujours se présenter couverte du code qui autorise
son usage. Elle doit avouer que son espace est celui du
mythe, son temps celui de l'atemporalité, son décor une
scène isolée de province où s'entend à peine le tumulte du
siècle.

Ces précautions s'imposent. Une différence abandonnée au
nomadisme symbolique et social dégage une inquiétante et
dangereuse étrangeté. Comme pour les sauvages, il y aura
l'endroit et l'envers de la différence. La bonne différence
sera célébrée par la métaphore. La mauvaise, stigmatisée
par la naturalisation de ses traits.

Ce qui ravit, dans la littérature québécoise, c'est un léger
parfum d'exotisme, la candeur et la fraîcheur du Nouveau
Monde découvert. Car on ne cessera de redécouvrir cette
terre et d'en imposer sa vision aux « natifs » eux-mêmes.

«Bernard Clavel a fait découvrir aux Canadiens "leur" Canada» titre *France-Soir* dans sa rubrique «Livres»[42]. Les talents québécois ne se révèlent pas d'eux-mêmes. L'ex-métropole les décèle par des prospections menées sur les rives du grand fleuve où Cartier cherchait autrefois l'or et le diamant.

> En vérité, ce sont moins les écrivains d'outre-Atlantique qui sont venus à Paris que les éditeurs français qui sont allés les chercher au bord du Saint-Laurent. Et déjà il semble que leur prospection ait été fructueuse[43].

La soif d'aventure et de conquête qui pousse «Boubat et moi» à découvrir le Canada — terre lointaine où l'on imagine «un vaste caravansérail, des missionnaires, des gosses, des mémés[44]» — fait miroiter dans l'esprit du découvreur la promesse de mystère probable et de dépaysements certains. La nostalgie des espaces vierges rend l'idée de fraîcheur, d'innocence, de vitalité bénéfique aux routiers des vieilles civilisations : « Le Canada littéraire est la consolation de nos âmes ou *trop lasses* ou *trop byzantines*. Un Saint-Laurent verbal vient nous abreuver et nous rafraîchir[45]. »

Cette nature généreuse qui abreuve et rafraîchit apporte aux praticiens des lettres «ce souffle pur», «ce souffle puissant» d'avant la dégénérescence du langage et l'usure du Verbe. Retourner à la pureté originelle, c'est consentir à recevoir «ce grand mouvement de la jeune littérature canadienne[46]» qui insuffle une vigueur nouvelle à la littérature d'outre-mer. On insiste donc beaucoup sur la jeunesse de la littérature — ou de l'auteur et du pays — offrant cette vitalité régénératrice.

> Livre saisissant par sa *force* et sa *vitalité*[47].

> [...] son roman se recommande, justement, par une *allure* et par une *santé* toutes canadiennes[48].

Fait passer un *courant d'air salubre* dans le roman
français [...] [49].

Dans ce courant d'air venu du Nord passe un vent de
fraîcheur et de liberté qui ouvre la porte aux plus exquises
audaces et aux plus intrépides hardiesses. À certains
moments, le pays personnage ébranle les scrupules et
secoue les léthargies de la Ville lumière : « Quand Paris
interdit la "Religieuse" ce sont les Canadiens français qui
nous donnent des leçons de hardiesse [50]. »

Cette délivrance des sens, conjuguée à une robustesse de
l'expression, participe de la célébration du bon sauvage
dont elle constitue une variante moderne. Aucun prestige
n'auréolant la fréquentation et la connaissance des productions littéraires excentriques, on tire volontiers orgueil de
l'ignorance du milieu d'où elles émanent. Ainsi, un critique,
qui perçoit dans *Une saison dans la vie d'Emmanuel* de
Marie-Claire Blais « le roman du dégel, mais non pas
encore celui de la débâcle », se défend de vouloir prendre la
place du « natif » dans l'interprétation de cette œuvre :
« J'ignore, dit-il, l'essentiel du code (culture nationale, rites,
pratiques religieuses et sociales, connotations de langage,
etc.) [51]. »

Prendre la place du natif n'a en effet rien d'enviable. Une
culture périphérique, irréductible de par sa nature même au
code universel, ne peut être approchée que par le biais
ethnographique qui en dénombre les particularités : rituels
sociaux et religieux, pratiques comportementales et langagières liées à des différences trop spécifiquement locali-
sables dans l'espace pour intéresser les tenants de l'universalisme. Et, comme si la nature ne parlait pas assez fort,
comme si l'étalement du paysage ne suffisait pas à étayer
la preuve de naturalité décourageant une lecture esthétique
de l'œuvre, on précise au besoin qu'il s'agit d'un « document
du plus grand intérêt géographique et ethnographique [52] ».

Cette mythification, qui tend à substituer aux réalités socio-
culturelles une image naturelle du réel, excelle dans la

composition de tableaux harmonieux où s'entremêlent le givre et les fontaines, les eaux, la neige et le soleil. Reproduisant la nature, le style devient « coupant comme un vent du nord » (Ducharme). Il a le jaillissement d'une source ou « le grondement des torrents sous la glace » (Hébert). Il est fait d'une langue au « vocabulaire fleuri » qui joue « avec les mots comme le vent avec les feuilles » (Ducharme).

Non seulement on boit ces préparations comme un « cocktail détonnant », mais encore on les mange. « Le Canada [...] parle savoureux. » Sa littérature, comestible, excite l'appétit et surprend le palais.

> Une langue aussi neuve et drue et *succulente* ne pouvait nous venir que du Canada [53].

> [...] un roman solide, robuste, compact comme *une terrine de campagne* [54].

> [...] la langue est *bonne* [...] *c'est salé, c'est poivré* [55].

> Ces mots et ces expressions dont la *saveur* se perdrait dans les équivalences et qui ne sont *ni langues étrangères tout à fait* ni patois, cela donne un *drôle de goût au plat qu'on nous sert*, un *semis de cerises confites sur une truite au bleu* nous laisserait aussi pantois [56].

Le léger parfum d'exotisme auquel on attribue charme et saveur doit ses plus sûrs effets au degré de naturalisation vérifiable dans le produit littéraire présenté le plus souvent comme l'émanation de la matérialité physique qui en constitue la texture et la trame. Mais à peine s'est-on laissé séduire qu'intervient le *ni tout à fait* donnant la mesure de proximité redoutée, qui rétablit la distance entre l'observant et l'observé.

Cousines jouffiues et cousins pervers

[...] étrange, c'est-à-dire étranger, par présence excessive.

VALÉRY

À lui seul l'éloignement géographique ne peut empêcher la différence de basculer dans l'aire du proche. Une culture totalement étrangère, doublée d'une distance spatio-temporelle irréductible, situait les Indiens dans un *trop lointain* mythique qui comportait des aspects rassurants. La proximité culturelle des Québécois, à laquelle une distanciation historique donne l'illusion de l'éloignement, situe ceux-ci dans l'aire d'un *lointainement proche* qui énerve la conscience généalogique.

La parenté induit un sentiment de familiarité qui dissipe la fascination de l'étrange et conduit au désenchantement. Tournier explique ainsi son malaise et sa sévérité: « C'est sans doute parce que je ne parviens pas à considérer le Canada comme un pays vraiment étranger[57]. »

De prime abord, le cousin de province conforte l'orgueil du cousin métropolitain rompu aux civilités et décadences urbaines. On n'excelle que si d'autres mettent en valeur le contraste. Ce cousin lointain fixé à l'imaginaire comme un tableau d'époque nourrit le poncif d'une différence immuable rassurante pour l'ego. Il met un frein au déroulement du temps et au rétrécissement de l'espace. Grâce à lui, l'ancien et le moderne se rencontrent sans se toucher.

Mais qu'une différence s'introduise dans la différence, et du coup éclate le caractère limitrophe de la périphérie. Au-delà de l'imaginé se profile l'inimaginable. Face au retour du refoulé parental, on prend peur. « Les sauvages sont à notre porte », lance-t-on à la sortie d'*Une saison dans la vie d'Emmanuel* de Marie-Claire Blais. Cette saison-là ne figure sur aucune carte postale. La consternation est à son comble.

> Son roman [...] nous révèle au cœur paysan et
> glacé de ce Canada français qu'il était commode
> d'imaginer pieux, serein, chapdelainien en somme,
> l'existence d'*une misère presque sauvage* [...][58].

> On savait ici que les familles de douze ou quinze
> enfants ne sont pas rares au Canada français,
> mais *on ne soupçonnait pas qu'il en existât d'aussi
> arriérées, d'aussi crasseuses* [...][59].

> [...] ces êtres à la moralité crépusculaire [...] qui
> vivent dans *un milieu qui n'a à peu près rien
> retenu de ce que nous appelons fièrement civili-
> sation* [...][60].

Néanmoins, la poésie sauvage des grands espaces évoque
un univers « plaisamment dépaysant » qui inspire de belles
envolées critiques. D'apercevoir une terre vierge promise à
la célébration du primitivisme terrien fouette l'esprit
d'aventure et flatte l'instinct colonisateur. On y goûte « la
fascinante sauvagerie d'un continent qui reste à découvrir[61] ». La terre peut tout se permettre. Sa sauvagerie est
de bon aloi. « Du sang sur la neige du Canada[62] », ça fait
image. Du sang sur le drap, ça fait impur.

Car alors la nature n'est plus au dehors. Elle est en soi,
dans sa lignée, compromettant l'intégrité de sa descendance. Les vrais sauvages, bons ou mauvais, étaient totalement étrangers. Même dans la plus extrême proximité, on
pouvait s'en défendre, en tirer une carte postale, une peau
de castor, une « relation » a posteriori. Or ces cousins, qui
habitent le même territoire que les sauvages de Chateaubriand, occupent un autre lieu de la conscience et de
l'histoire. Ils s'attardent dans un espace ambigu, imprécis,
qui rend le marquage de la différence difficile. Ils ne sont
pas de vrais Français. Ils ne sont pas non plus de vrais
Américains. Ils sont le résidu d'une histoire qui a mal
tourné. Ils sont l'enclave bâtarde qui forme, sur le tissu de
la mémoire filiative, un entre-deux gênant.

Confinés et discrets, les cousins étaient acceptables. Rougissantes et joufflues, les cousines inclinaient à l'indulgence. Ce portrait de famille, à peine revu et corrigé au fil des ans, racontait «l'une des dernières contrées où se perpétue spirituellement le Moyen Âge[63]». Représentant un «siècle qui n'est peut-être pas le nôtre» — le «nôtre» indiquant l'heure marquée par le centre —, il rappelait les belles heures coloniales. On pouvait, à son propos, évoquer la parabole de la nature heureuse ou narrer la légende des quatre points cardinaux qui s'épousèrent sous Jacques Cartier. Le narcissisme y trouvait son compte. Mais voilà que le tableau change. Les cousins deviennent vulgaires, les cousines incestueuses et perverses. Se trouve alors discrédité le récit de l'origine, entaché l'abc de la civilisation. De cette descendance tarée, on dit, comme au temps des grands découvreurs, «ce sont des sauvages qui n'obéissent à peu près qu'aux nécessités et aux caprices de leurs fonctions biologiques[64]».

Cette parenté, qui a défroqué des bonnes manières et de la bonne éducation, est inapte à remplir ses obligations. Les cousins de province doivent s'amender ou déclarer forfait. On les gardait dans le paysage pour marquer «la *distance* qu'il y a entre la littérature qu'on prépare à Paris et celle que l'on *consomme* dans le reste du monde[65]». Masquent-ils le paysage ou servent-ils le mauvais plat? Parlent-ils de quitter la légende pour entrer dans l'histoire, leur histoire? Se mettent-ils à représenter le monde autrement que sur la carte postale? Les états généraux de la littérature sévissent, replaçant les marges indicatrices de différence.

La fraîcheur et la vigueur «canadiennes» dont on louait les vertus revivifiantes deviennent des tares. La hardiesse et la vitalité soustraites à l'orbe parisien sont des outrances qui mettent en lumière une insuffisance de pensée, une «aculture provinciale trop soigneusement cultivée»[66].

L'auteur sera semoncé d'autant plus durement qu'il succombe au désir d'autonomisation. S'américaniser, innover, c'est trahir l'allégeance parentale au profit de soi ou d'une puissance rivale. Cette sortie du provincialisme est mal venue. Le cousin, devenu un étranger dont le pittoresque n'amuse plus, éveille aussitôt le syndrome du professeur chez le critique.

> Les éditions du Seuil vont publier le premier roman étranger écrit *en langue presque française* [...] [67].

> Monsieur Godbout aurait pu joindre un glossaire à son livre pour *les lecteurs français qui n'entendent pas le Québécois* [68].

Ces deux commentaires illustrent le double préjugé déjà évoqué au chapitre de la langue : 1. « les lecteurs français » représentent à eux seuls la francophonie ; 2. « le québécois » n'est pas du français. Ils révèlent sur quelle base et au profit de qui fonctionne l'économie des échanges culturels. La littérature québécoise, comme toute littérature périphérique, est condamnée à un dilemme : innover sans rien changer à l'ordre irrévocable qui la veut immuable dans ses caractères et sa finalité. Mais cette littérature, trop proche pour être étrangère et trop étrangère pour être identique, est confinée à la limite ambiguë du *presque*, du *peu s'en faut*, du *ni tout à fait*.

Elle est cette littérature lointainement proche d'où montent des échos familiers qui ébranlent l'identité et interrogent la pertinence du classement. Dans l'extrême différence, la séparation semble naturelle. Dans une différence amoindrie, l'écart s'estompe. L'instance critique doit alors redoubler d'efforts pour marquer le texte d'indices de naturalité, qui évoquent la santé, la fraîcheur, la couleur, le goût, l'instinct, la résonance, le rythme. Ces caractéristiques physiques mettent l'accent sur l'exigence d'une pulsion qui se réfère à des besoins, des attitudes, des dispositions naturelles peu touchées par le processus de transformation littéraire.

À propos de littérature québécoise, il est souvent question de « cri », d'« orthographe phonétique », de « syntaxe très parlée ». Cette littérature qui parle « français avec une pointe d'accent [69] » s'entend trop. On la lit à peine. Mais on oublie rarement de lui rappeler ce qu'elle doit être : un écart différentiel justifiant les places occupées auxquelles la géographie fait illusion.

Il serait cependant faux de croire que l'unanimité se fait sur la question. De temps en temps, une voix du centre refuse de faire chorus. Dans un dossier récent consacré au Québec, le rédacteur en chef du *Magazine littéraire* écrivait : « La littérature québécoise, encore jeune [...], est toujours vivante, enrichissante. Il serait temps, en France, que nous nous en apercevions un peu mieux, avant qu'elle ne se mette à passer par New York pour nous parvenir, et mériter notre considération [70]. »

À la manière de

> La langue nonchalante et non plus explosive comme jadis [...].
>
> Alain BOSQUET

Lue dans une perspective de décentrement, une littérature excentrique serait reçue pour elle-même, interprétée en fonction de son propre système de références. Lue dans une perspective ethnocentriste, elle doit souffrir la comparaison. Le discours critique qui se développe à son sujet énonce des attentes culturelles, des stratégies de récupération, des rejets ou des emballements qui révèlent autant la société de l'interprète que la société de l'interprété. L'évaluation de la différence dispose alors d'un double clavier. Du côté positif, *à la manière de* constitue un facteur d'intégration. Du côté négatif, *différent de* introduit un jugement discriminant.

La comparaison favorable s'effectue dans une mise en rapport qui oppose les productions excentriques, la plupart du temps chargées d'indices de naturalité et affectées d'un fort coefficient de territorialisation, aux productions centrales coiffées de leur seule dénomination (nom d'auteur, titre, personnage célèbre). Jusqu'à tout récemment, *Maria Chapdelaine* était l'étalon de valeur auquel était ramenée toute œuvre québécoise. Le milieu naturel absorbait le reste. En vertu de la loi des tropismes, la neige appelait la neige aussi sûrement que Maria appelait Zazie, que Ducharme tendait vers Queneau ou qu'Anne Hébert tirait du côté de Mauriac ou de Balzac.

> Un document brut qui surprendra ceux qui en sont restés au Canada de *Maria Chapdelaine*[71].

> Paysages de neige, taches de sang, une histoire qui rappelle les premiers Mauriac dans des paysages de *Maria Chapdelaine*[72].

> Ce roman nous fait penser à [...] *Madame Bovary*[73].

L'analyse s'accommode de glissements temporels témoignant d'une évolution dont la cause est à chercher hors de la littérature. Le destinataire ou l'instigateur du texte habite ailleurs, dans l'ex-métropole ou dans un pays puissant comme les États-Unis.

Quand paraît *Une saison dans la vie d'Emmanuel* de Marie-Claire Blais, *Le Nouvel Observateur* pose la question : « Conçoit-on Zola revu par Giraudoux[74] ? », tandis que *Le Figaro littéraire* incline à y trouver du Faulkner et du Caldwell « à un niveau modeste bien entendu[75] ». *Kamouraska* est placé par *La Revue des Deux mondes* sous un patronage balzacien : « Une telle référence à Balzac pourrait suffire à situer *Kamouraska* parmi les œuvres littéraires à retenir[76]. » Mais *Les Nouvelles littéraires* y décèlent plutôt « L'imprégnation de la grande littérature nomade, brutale et provinciale des États-Unis », voire une ressemblance avec « un excellent roman de James Cain, Raymond Chandler, Daniel (sic) Hammett[77] ». On attend *Les Fous de Bassan* pour invoquer Faulkner. Et quand René Lapierre lance *L'Été Rebecca*, la page couverture et les communiqués de presse annoncent « Le roman d'un jeune Québécois qui est comme le signal d'une littérature américaine directement écrite en français. »

C'est d'ailleurs ce que certains auteurs revendiquent, soit parce que nous participons effectivement de l'imaginaire, de la vie matérielle et socio-culturelle du monde américain, soit que le manque d'identité incite à entrer dans la peau de plus fort que soi. Face à la proximité géographique et à l'exiguïté du marché, on donne parfois tout de suite le titre anglais qui incitera à traduire. Citons quelques titres au hasard : *Drive in* et *Snack Bar* de Lucien Francœur, *Miami Trip* de Marilú Mallet, *Bloody Mary* de France Théoret, *Nobody* de Carole Massé, *Souvenirs Shop* de Jacques Godbout, *French Kiss* et *Picture Story* de Nicole Brossard, *Slingshot* de France Vézina.

Pour toute œuvre dont on se soucie, on pratique donc régulièrement l'aller et retour de Paris à Montréal, ou parfois « De Paris à l'Acadie[78] », avec de temps à autre un crochet chez nos voisins américains. On détecte ainsi du Maupassant et du Clouzot chez Claire Martin, du Céline chez Victor-Lévy Beaulieu, « la somme d'un Antonin Artaud et d'un Roger Vitrac » chez Claude Gauvreau, et à la fois du Robert Desnos, du Benjamin Péret, du Max Jacob, du Roger Vitrac, du Boris Vian, du Raymond Roussel et même du Günter Grass (merci pour l'Allemagne) chez Réjean Ducharme. À propos de ce dernier auteur, on lui fait même la grâce de l'associer à Jack Kerouac, ignorant que l'instigateur de l'écriture *beat*, qui devait créer un courant littéraire important aux États-Unis, était d'ascendance québécoise.

Tout devenant prétexte à réduire l'originalité des cultures excentriques, la littérature québécoise est souvent présentée comme une littérature de seconde main qui mise sur la mémoire et l'imitation. On soupçonne Ducharme d'avoir glané chez Céline et Queneau : « il a dû les lire et en faire son profit [79] ». Quant à Marie-Claire Blais, la perverse qui a raflé le Médicis avec *Une saison dans la vie d'Emmanuel* et « des astuces à la Diderot et à la Giraudoux [80] », on estime qu'elle « avait (ou *affectait*, peu importe) des accents ber- nanosiens [81] ».

Dans l'évaluation ou la comparaison, la critique affectionne les tournures « à la manière de », « qui tient de », « une sorte de », « nous fait penser à », « s'apparente à ». L'habileté créatrice périphérique s'ingénie à égaler le modèle central sans jamais y parvenir, un *de* ou un *à* barrant l'accès au plein succès qui rendrait les disciples extraterritoriaux semblables aux grands auteurs français.

> Jouant avec les mots *à la manière de* Queneau [82].

> *Une sorte de* Giono canadien [83].

> *Une sorte de* Laforgue revu par *Le Canard enchaîné* [84].

> [...] *fait penser à une sorte de Hauts de Hurlevent* canadien [85].

L'évaluation peut encore s'exprimer sur le mode négatif. Un « ni », un « ce n'est pas », un « ce n'est que » posant alors la distance entre les deux termes de la comparaison.

> Non, *ce n'est pas* Queneau, *ce n'est que* Ducharme [86].

> *Il n'est* sans doute *ni* Céline, *ni* Queneau [...] [87].

> Il y a des drôleries ; il semble toujours que *quel- qu'un d'autre* (Jarry, Vian, Queneau) *les ait déjà écrites un peu mieux* [88].

En amputant la littérature québécoise de ses références propres, on condamne celle-ci à n'être qu'une reproduction dégradée de la littérature d'origine. Cette littérature a beau faire, elle reste illégitime. Elle ne possède pas la compétence statutaire qui l'habiliterait à diffuser et à imposer ses produits culturels au dehors ou même à l'intérieur de ses frontières. Le jugement critique paraît fondé sur les seules qualités de l'œuvre, mais le paternalisme, la désinvolture ou la condescendance affichée trahissent la position de centralité. L'auteur agréable ou non agréé n'est pas de ce lieu. Réjean Ducharme reste le «petit-fils illégitime de Céline», même auprès des critiques qui l'encensent.

Quand l'illégitimité des territorialités ethnographiques double l'illégitimité des territorialités sexuelles, on touche alors le degré suprême de péjoration. «Un Jarry femelle», dit-on de Marie-Claire Blais. «Les Zazies du Québec», lance-t-on à propos de Ducharme, de Godbout et de tous les casseurs de langue et briseurs de rhétorique. Les écrivains bâtards sont de sexe indifférencié. La féminisation de la caractérisation entraîne des connotations équivoques, l'expression ambiguë paraissant circonscrire à la fois le personnage et l'auteur.

> *Les Zazies du Québec* sont autrement destructrices. Après avoir assassiné non sans quelque raison leur fausse tante Chapdelaine, elles ont engagé une guerre totale contre la société canadienne [...] [89].

> Ne nous plaignons pas trop de voir la gloire pâlotte de Maria-Karénine-des-Grands-Nords supplantée par celle encore verte des *Zazies-Chapdelaine de Montréal* [90].

Que Zazie se le tienne pour dit. À propos d'écriture comme à propos de sexe, «il y a des frontières qu'on ne franchit pas sans dommage [91]». Le «léger parfum d'exotisme [92]» attendu des littératures régionales revêtira un cachet très particulier lorsqu'il empruntera, comme nous le verrons au prochain chapitre, au charme discret de la féminité.

————————

1. Michel TOURNIER, *Canada, journal de voyage*, Montréal, Éditions La Presse, 1977, p. 15.
2. *Ibid.*, p. 17.
3. *Ibid.*, p. 9.
4. *Ibid.*, p. 18-19. Nous soulignons.
5. Là-bas, il apprit de la bouche de Tournier que les baraquements où l'on entreposait les biens des hommes et des femmes envoyés à la chambre à gaz étaient appelés « le Canada » par les déportés du camp de concentration d'Auschwitz.
6. Michel TOURNIER, *op. cit.*, p. 32.
7. *Ibid.*, p. 44-45.
8. *Ibid.*, p. 62. C'est du fédéral que lui sont venus les subsides utilisés pour ce voyage.
9. *Ibid.*, p. 63.
10. *Ibid.*, p. 90.
11. *Ibid.*, p. 122.
12. *Ibid.*, p. 123.
13. *Ibid.*, p. 33.
14. *Ibid.*, p. 132.
15. Jacques CARTIER, *op. cit.*, p. 56.
16. Serge GILLES, *France nouvelle*, 11 novembre 1970. Cité par J. GEROLS, *Le Roman québécois en France*, Montréal, Hurtubise HMH/Cahiers du Québec, (Collection « Littérature »), p. 228. Nous soulignons.
17. Yrène JAN, *L'Aurore*, 20 octobre 1970. Cité par J. GEROLS, *op. cit.*, p. 229. Nous soulignons.
18. Jacques VALMONT, *Aspects de la France*, 8 octobre 1970. Cité par J. GEROLS, *op. cit.*, p. 229. Nous soulignons.
19. Serge GILLES, cité par J. GEROLS, *op. cit.*, p. 228.
20. Henry BONNIER, *Dépêche du Midi*, 15 septembre 1970. Cité par J. GEROLS, *op. cit.*, p. 228.
21. René LACÔTE, *Anne Hébert*, Paris, Seghers, 1969, (Collection « Poètes d'aujourd'hui »), p. 57.
22. Matthieu GALEY, *L'Express*, 29 octobre 1982.
23. François NOURISSIER, *Les Nouvelles littéraires*, 24 septembre 1970.
24. *Le Monde*, 29 octobre 1982.
25. Tournier, lui, faisait rimer Canada avec Sahara : « Sahara-Canada : ces deux mots de six lettres dont trois *a* placés aux mêmes points

sont d'une surprenante analogie. » Dans *Canada, journal de voyage*, p. 8, note 1.

26. Michel PEYRAMAURE, *Les Arts et les Lettres*, 22 novembre 1970, à propos de *Kamouraska*. Cité par J. GEROLS, *op. cit.*, p. 266. Nous soulignons.

27. Claude MAURIAC, *Le Figaro*, 6 avril 1966, à propos d' *Une saison dans la vie d'Emmanuel* de Marie-Claire Blais.

28. Étienne LALOU, *L'Express*, 22 au 28 mai 1967, à propos de *Salut Galarneau!* Nous soulignons.

29. Alain CLERVAL, *La Quinzaine littéraire*, 15 au 30 juin 1967, à propos de *Le Nez qui voque*. Nous soulignons.

30. À propos du même auteur, Gilbert GANNE, *L'Aurore*, 15 novembre 1966. Cité par J. GEROLS, *op. cit.*, p. 204.

31. Claudine JARDIN, *Le Figaro*, 16 septembre 1970, à propos de *Kamouraska*. Nous soulignons.

32. René LACÔTE, *op. cit.*, p. 57.

33. Jacques FERRON, *Les Confitures de coings et autres textes*, suivi de *Le Journal des confitures de coings*, Montréal, Éditions Parti pris, 1977, (Collection « Projections libérantes »), p. 96.

34. René LACÔTE, *op. cit.*, p. 57.

35. Jean HUGUET, *Presse-Océan*, 6 novembre 1973. Cité par J. GEROLS, *op. cit.*, p. 217.

36. Jean MERGEAI, *Marginales*, janvier 1968. Cité par J. GEROLS, *op. cit.*, p. 215.

37. Claudine JARDIN, *Le Figaro*, 5 septembre 1969.

38. Jacqueline GEROLS, *op. cit.*, p. 209. Elle note dans cette étude que sur 200 références critiques relevées à propos d'auteurs « canadiens », 6 seulement sont négatives, alors que les jugements critiques se rapportant à des « Québécois » ou à des réalités québécoises sont rarement positifs.

39. Jean BOUDRIER, *Minute*, 24 novembre 1966. Cité par J. GEROLS, *op. cit.*, p. 210. Nous soulignons.

40. Yves BERGER, *L'Express*, 20 novembre 1980. Nous soulignons.

41. J. GEROLS, *op. cit.*, p. 209. Nous soulignons.

42. 18 février 1986.

43. Bernard PIVOT, *Le Figaro littéraire*, 15 septembre 1966.

44. Michel TOURNIER, *op. cit.*, p. 17.

45. Alain BOSQUET, *Combat*, 20 septembre 1966, à propos de *L'Avalée des avalés* de R. Ducharme. Nous soulignons.

46. ANON., dans *Les Lettres françaises*, 11 octobre 1967, à la suite d'une rencontre avec Jacques Godbout.

47. Jean TORNIKIAU à propos de *Kamouraska*, J. GEROLS, *op. cit.*, p. 207. Nous soulignons.

48. *Ibid.*, p. 207. Relevé d'un commentaire de Henry BONNIER sur le même roman. Nous soulignons.

49. *Ibid.*, p. 206. Commentaire dans *Le Soir* du 22 avril 1970 à propos de R. Ducharme. Nous soulignons.

50. J.C., *L'Express*, 2 mai 1966, à propos d' *Une saison dans la vie d'Emmanuel.*

51. Henri MITTERAND, *Voix et Images*, vol. 2, n° 3, (avril 1967), p. 417.

52. À propos d'*Agaguk* d'Yves Thériault. J. GEROLS, *op. cit.*, p. 224.

53. Claude MAURIAC, *Le Figaro*, 6 octobre 1966, à propos de *L'Avalée des avalés*. Nous soulignons.

54. Christine ARNOTHY à propos de *Kamouraska*. Cité par J. GEROLS, *op. cit.*, p. 269. Nous soulignons.

55. R.M. ALBÉRÈS, *Les Nouvelles littéraires*, 7 septembre 1967, à propos de *Salut Galarneau!* Nous soulignons.

56. ANON., *Les Lettres françaises*, 11 novembre 1967, à propos du même livre. Nous soulignons.

57. Michel TOURNIER, *op. cit.*, p. 15.

58. François NOURISSIER, *Les Nouvelles littéraires*, 1er décembre 1966.

59. Pascal PIA, *Carrefour*, 16 mars 1966. Cité par J. GEROLS, *op. cit.*, p. 246. Nous soulignons.

60. Robert KANTERS, *Le Figaro littéraire*, 28 avril 1966. Nous soulignons.

61. Matthieu GALEY, *L'Express*, 29 octobre 1982, à propos du roman *Les Fous de Bassan.*

62. Titre de l'article que Claudine JARDIN consacrait à *Kamouraska* dans *Le Figaro* du 16 septembre 1970.

63. Angelo RINALDI, *L'Express*, 6 octobre 1975, à propos du roman *Les Enfants du Sabbat* d'Anne Hébert.

64. Robert KANTERS, *op. cit.*, le 28 avril 1966.

65. J. GEROLS, *op. cit.*, p. 269, citant un commentaire de Philippe Senart sur *L'Avalée des avalés*, dans *Combat*, 26 mai 1966. Nous soulignons.

66. Jean MONTALBETTI, *Magazine littéraire*, décembre 1973. Cité par J. GEROLS, *op. cit.*, p. 211.

67. Auguste VIATTE, *Livres et lectures*, novembre 1967, à propos de *Salut Galarneau!* Nous soulignons.

68. Pascal PIA, *Carrefour*, 27 septembre 1967, à propos du même roman. Cité par J. GEROLS, *op. cit.*, p. 292. Nous soulignons.

69. R.M. ALBÉRÈS, *Les Nouvelles littéraires*, 7 septembre 1967, à propos de *Salut Galarneau!*

70. Jean-Jacques BROCHIER, *Magazine littéraire, Spécial Québec*, n° 234, (octobre 1986), p. 92.

71. J. GEROLS, *op. cit.*, p. 237. Relevé d'un commentaire sur *Salut Galarneau!*

72. J. GEROLS, *op. cit.*, p. 239, citant une critique sur *Kamouraska* parue dans *Bibliographie des professeurs*, février 1972.

73. J. GEROLS, *op. cit.*, p. 285, citant un autre rapprochement fait à propos de la même œuvre.

74. Yves BERGER, *Le Nouvel Observateur*, 4 mai 1966.

75. F.N. (François NOURISSIER), *Les Nouvelles littéraires*, 1er décembre 1966.
76. Robert BORDAZ, *La Revue des Deux mondes*, juin 1971.
77. François NOURISSIER, *Les Nouvelles littéraires*, 24 septembre 1970.
78. Titre d'un article que Pierre GAMARRA consacrait à Antonine Maillet dans *Vie ouvrière* du 15 décembre 1979.
79. Maurice NADEAU, *La Quinzaine littéraire*, 1er au 15 octobre 1966.
80. Alain BOSQUET, *Le Monde*, 16 avril 1966.
81. Relevé par J. GEROLS, *op. cit.*, p. 285, à partir de *Bibliographie de la France*, novembre 1966. Nous soulignons.
82. Jean FREUSTIÉ, *Le Nouvel Observateur*, S.D., à propos de *L'Avalée des avalés*. Nous soulignons.
83. Auguste VIATTE, *La Croix*, 23 juin 1957, à propos d'*Aaron* d'Yves Thériault. Nous soulignons.
84. Philippe GUILBRON, *Le Quotidien de Paris*, 14 juillet 1976, à propos des *Enfantômes* de R. Ducharme. Cité par J. GEROLS, *op. cit.*, p. 280.
85. ANON., *La Galerie des Arts*, S.D., 1970, à propos de *Kamouraska*. Cité par J. GEROLS, *op. cit.*, p. 284. Nous soulignons.
86. R.M. ALBÉRÈS, *Les Nouvelles littéraires*, 20 octobre 1966, à propos de *La Fille de Christophe Colomb*. Nous soulignons.
87. Maurice NADEAU, *La Quinzaine littéraire*, 1er au 15 octobre 1966, à propos de *L'Avalée des avalés*. Nous soulignons.
88. Madeleine CHAPSAL, *L'Express*, 3 octobre 1966, à propos du même roman. Nous soulignons.
89. L. BOURQUELOT, *Études*, février 1967, à propos de *L'Avalée des avalés*. Cité par J. GEROLS, *op. cit.*, p. 238. Nous soulignons.
90. ANON., *Lettres françaises*, 11 octobre 1967, dans un article sur Jacques Godbout. Nous soulignons.
91. Luc ESTAING, *Le Figaro littéraire*, 12 juin 1967, à propos de *Le Nez qui voque* de R. Ducharme.
92. L'expression est de Maurice NADEAU qui l'utilisa à propos de Ducharme dans *La Quinzaine littéraire*, 1er au 15 octobre 1966.

8

DU CÔTÉ
DE LA FÉMINITÉ

L'une fut belle, l'autre rousse, une autre encore, embrassée par une reine. On ignore tout d'elles, hormis la date de leur mariage et le nombre de leurs enfants.

Virginia WOOLF

Votre sexe, Madame...

> C'est une femme aux mille détours qu'il me faut dire
> aujourd'hui.
>
> Carole MASSÉ, *Dieu*

Que l'institution littéraire emprunte aux territorialités ethniques et géographiques l'étayage de classifications et
d'évaluations visant à démarquer le centre de la périphérie
ne signifie pas pour autant qu'elle néglige les territorialités
sexuelles, lieu d'exercice d'une autre forme de régionalisation.

« Nous vous aurions élue aussi — et peut-être, je l'avoue,
plus aisément et plus vite — si vous étiez un homme »,
déclarait il y a quelques années Jean d'Ormesson à Marguerite Yourcenar, première femme admise à l'Académie
française. Et l'académicien d'ajouter, afin de rendre bien
visible la ligne de passage du naturel au culturel : « C'est
[...] à nous de vous remercier, non pas de l'accident de votre
sexe, mais de la fermeté de votre écriture et de la hauteur de
votre pensée [1]. »

Un accident n'est pas toujours irrémédiable. On peut s'en
remettre, tout comme l'on peut triompher du déterminisme
du lieu. On a déjà dit de cette femme : « elle est un grand
homme de lettres ». La conversion du naturel au culturel
exige l'épreuve d'où est tirée la preuve, la « hauteur » et la
« fermeté » conférant la virilité requise.

Les preuves d'agrégation exigées sont d'autant plus rigou-
reuses qu'elles s'appliquent à un territoire ambigu. La
femme appartient à l'aire du *trop proche*. L'institution
littéraire ne saurait se montrer insensible au sexe de ses
auteures. De par sa situation privilégiée dans l'ordre de la
reproduction biologique, la femme est un des lieux humains
les plus productifs. De par sa situation sociale, elle occupe
les marges de la production économique et culturelle. Il
faudra résoudre la contradiction.

Car, le rapport de sexe s'ajoutant au rapport de classe — et
paraissant lui-même constitutif du rapport de classe —, des
efforts seront déployés pour naturaliser la production littéraire des femmes et la disqualifier comme production culturelle. La nécessité d'un marquage distinctif sera encore
plus impérative à son égard qu'envers les autres territorialités.

Dans l'iconographie de la carte postale, le sexe fera écran
au texte. De même que l'on a tendance à découvrir, dans les
œuvres situées du côté des territorialités ethnographiques,
un paysage et un pays plutôt que des personnages, une
écriture ou des situations singulières; en explorant les
territorialités sexuelles on apercevra souvent, bien avant le
livre, la femme et ses dérivés — la féminine, la femelle, la
féministe. Les caractères de la féminité constitueront alors
le paysage, et la famille constituera le pays, faute de quoi la
menace d'une différence nomade, non couverte par une
identité et une fonction stables, paraîtra intolérable.

Et comme cette différence l'emporte sur toutes les autres, la
façon de l'appréhender sera sensiblement la même d'un
lieu à l'autre ou d'une époque à l'autre. Malgré les accents
modernistes qui pourraient faire illusion, — ou l'usage de la
métaphore qui déportera *le trop proche* dans le lointain —,
Marguerite Yourcenar sera tenue de se conformer au même
code que Virginia Woolf, George Sand, Anne Hébert ou
Simone de Beauvoir.

L'éternel féminin

> Morale jésuite : Prenez des accommodements avec la morale de votre condition, mais ne lâchez jamais sur le dogme qui la fonde.
>
> Roland BARTHES, *Mythologies*

Au lendemain de la Deuxième Guerre mondiale, dans le chapitre coiffé du nom d'espèce « Les femmes » terminant son *Histoire de la littérature canadienne-française,* Berthelot Brunet décante « ce qu'il y a de *féminin* » chez Laure Conan et se demande si Mme de Sévigné n'est pas « mille fois plus féminine que George Sand [2] », tandis que, de son côté, Auguste Viatte applaudit d'entendre Jovette Bernier confesser qu'elle est « plus femme que poète [3] ». À peine moins d'un demi-siècle plus tard, dans l'introduction de l'important ouvrage *La poésie québécoise des origines à nos jours*, on précise que ces cinq dernières années ont vu surgir une « multitude de *voix féminines* qui ont fait de la *féminité* le thème central de leur écriture [4] ».

Tout cela laisse entendre que l'on examine moins la nature de l'œuvre que celle de l'auteure, l'une et l'autre reflétant l'idée plus ou moins précise que l'on se fait de la féminité, de sa fonction. Si personne ne peut dire exactement ce qu'est la féminité, tous semblent d'accord sur sa nécessité. Elle est cette essence exquise, ce quelque chose de suave et de discret qui caractérise « la vraie femme ». Faute de quoi, la personne du sexe n'est plus que « femme », c'est-à-dire en situation de manque ou d'excès par rapport à l'idéal proposé.

L'essence résiste au passage du temps. Dans une société moderne, la catégorie immuable vous contraint à broder sur le thème de la féminité si vous habitez l'aire de *l'éternel féminin*, tout comme elle vous oblige à rabâcher le couplet régionaliste si vous logez du côté des littératures régionales. Dans sa quête de vérité, le discours critique contemporain allie donc l'ancien et le moderne. Disposant de méthodes d'analyse nouvelles et d'un vocabulaire de pointe, il n'en

continue pas moins de révéler, comme au XVIe siècle, ce qui
se trouve inscrit dans la nature des êtres et des choses.

De décennie en décennie, ou même de siècle en siècle, on
répète au public qu'un écrivain homme met en scène l'universel, traite de l'universel, alors qu'une femme fait toujours
— sauf exception — œuvre féminine. D'où l'indignation
ressentie lorsque l'une d'elles porte atteinte au dogme : « à
l'en croire, s'emportent Lagarde et Michard contre Simone
de Beauvoir, il n'est pas plus d'*"éternel féminin"* que de
*"*nature humaine*"* [5]. »

Dans le discours critique traditionnel, la féminité est la
pierre de taille qui supporte l'ensemble de l'évaluation.
Fonctionnant à la fois comme présupposé et comme outil
de classification, elle est le critère absolu qui englobe toute
autre caractérisation de l'œuvre — ou de l'auteure — dont
elle commande le refus ou l'acceptation. Mais la féminité,
comme la nature, a deux visages. L'un aimable, doux,
reposant. L'autre, hostile et menaçant.

> Mme de Sévigné, et ce n'est point son moindre
> charme, a l'esprit *très féminin*. Elle se contente
> d'être le *reflet mobile et séduisant* d'une société [6].

> C'est la peinture très délicate, *très féminine*, de
> sentiments tendres, d'une émotion voilée et dou-
> cement mélancolique [7].

> Malgré tout son savoir, la vision de George Eliot
> reste *profondément féminine* et appuyée sur l'émo-
> tion [8].

> [...] avec beaucoup de *délicatesse féminine*, elle
> (Simone Routier) analyse sa vie sentimentale [9].

> [...] cette *sensibilité toute féminine* qui agrandit
> l'anecdote de la vie quotidienne [...] [10].

La féminité, comme le civisme, c'est une foule de petites choses. L'expression recouvre un ensemble d'attitudes qui privilégient le flou, le reflet, l'effacement. Elle indique des traits de plume et de caractère dénotant une douceur, une sensibilité, voire une passivité qui font de la femme cet être malléable et imprécis régnant sur un monde d'émotions et d'impressions parfaitement étanche à la rumeur sociale et à la voix de la raison.

Ce monde est tout entier guidé par des impulsions spontanées, agi par la nature qui s'exprime à travers lui et le tient à distance de la culture à laquelle on ne saurait prétendre sans irréalisme ou prétention. Comme pour les littératures régionales, l'œuvre s'écrit d'elle-même, dictée par des influences naturelles qui émanent, dans ce cas, des paysages intérieurs de la féminité où triomphent la facilité, un naturel qui plaît ou indispose : « On y sent partout de l'improvisation, écrit Doumic à propos de Mme de Sévigné, de là *un naturel parfait* [...][11] » qui mérite louange et approbation.

Ce *naturel* tient à un « je ne sais quel charme », fait de simplicité et d'abandon, qui féconde et s'épanche, mû par des rythmes naturels où n'interviennent ni le travail ni la raison. On dira de George Sand :

> [...] elle s'est découvert, quand elle s'est mise à écrire, une *inépuisable facilité* [...] elle n'est que le spectateur et le rédacteur *d'une action qui se développe en elle, sans elle*, [...] toute *soumise aux impulsions*[12].

> Jamais George Sand n'a dirigé et dominé son œuvre [...] George Sand *ne compose pas*, et, en un sens, *n'écrit pas* [...] Elle n'hésite jamais, ne rature jamais. Sa *facilité* tient du prodige et *à je ne sais quel charme* [...][13].

Mais derrière le charme discret de la féminité toute de grâce, de facilité, d'abandon à ce qui lui dicte sa voix et son rythme, se dessine l'envers de la métaphore, le côté femme où la nature n'a pas que des effets ou des odeurs aimables. Aucune séduction n'est assurée sans l'aide de la coquetterie et le secours de l'hygiène qui atténuent les côtés rebutants de la féminité. Sainte-Beuve n'est pas le seul à trouver « du naturel » chez Mme de Sévigné. Calvet, Doumic, Castex et Surer s'y montrent encore plus sensibles.

> [...] il suffisait [...] que Mme de Sévigné *fît un peu de toilette* à sa plume [11].

> [...] *ce style a fait toilette*; *la marquise veut plaire* et on ne plaît pas sans effort [15].

> [...] *elle se plaît à faire la toilette de ses idées, à les parer* de détails ingénieux ou de *grâces cherchées.* Bref, avec elle, la correspondance *se montre en un négligé qui n'exclut ni le charme ni la coquetterie* [16].

L'*odor di femina* a longtemps incommodé les états généraux de la culture. Lorsque Conrart, premier secrétaire de l'Académie française, convola en justes noces, on transporta aussitôt ailleurs le siège de l'institution, sous prétexte que la venue de l'épouse dans la résidence du secrétaire rendait l'habitation « impropre » aux réunions.

Trois siècles et demi plus tard, lorsque vint le temps d'examiner la candidature de la première femme admissible à l'auguste confrérie, on se demanda : une personne née en Belgique, qui vivait en Amérique et avait de surcroît négligé de satisfaire aux formalités assurant le maintien de sa nationalité française, pouvait-elle être considérée comme française ? Personne n'osa poser la vraie question : pouvait-on appartenir à la secte des immortels du quai de Conti en étant une femme ? D'Ormesson, qui défendit la candidature de Marguerite Yourcenar contre ses opposants, parmi lesquels figurait Claude Lévi-Strauss, avait lui-même dénigré Colette dans *L'Express* quelques semaines plus tôt : « Il y a encore quelque chose d'humide chez la grande Colette. »

L'humide, ce sont les viscères qui investissent le texte, les mouvements d'humeur où s'inscrit le pulsionnel, l'irrationnel. C'est « la colère et le vouloir vivre d'une femme [17] » exprimés par Francine Déry, c'est « la confession » de France Théoret où « une conscience de femme [...] dit dans le dénuement ses *angoisses viscérales* [18] ». C'est la nature à découvert qui livre les traits et caractères de l'espèce femme considérée comme une entité régionale, plus ou moins périphérique, par l'institution littéraire.

Et comme pour tout groupe périphérique, le groupe des femmes écrivains prend souvent l'allure d'une famille élargie où prédomine le lien biologique qui les unit. Jusqu'à la fin de la Révolution tranquille, les historiens de la littérature québécoise adorent regrouper les écrivaines sous l'appellation de « sœurs », de « cohorte » ou même de « peloton ».

> Cette poésie est plus discrète que celle de *ses sœurs* [...] [19].

> Voici que débouche *une cohorte de poétesses amoureuses* [20].

> [...] ce *peloton de neuf ou dix poétesses*, parvenues à peu près en même temps à une expression naïve et directe de leur sensibilité, et *dépassant de loin, non sans doute encore par l'art, mais par une intrépidité dans l'aveu* de soi-même que rien ne laissait prévoir, l'œuvre de leurs confrères masculins, ce *peloton compact* a préfiguré *la longue suite* des quelque vingt romancières, toutes libérées d'entraves successives, que l'on verra surgir dans la génération suivante [21].

L'opposition des termes *peloton* et *sensibilité* situe les écarts possibles d'une féminité en dérive, qui n'échappe au

gynécée que pour tomber dans la horde des sauvageries
orgiaques ou militantes. Jovette Bernier vue par Brunet
comme une «faunesse déchaînée», ou par Roger Duhamel
comme une «bacchante enivrée», joue à la femme libérée et
au petit soldat, comme Geneviève Dormann «joue les
historiennes» dans son livre *Le Roman de Sophie Trébu-
chet*, qui fait trébucher des adorateurs du grand Hugo.

Dépourvues d'individualité, les écrivains femmes sont souvent regroupées sous une dénomination qui fait ressortir la
notion d'espèce et de catégorie susceptible d'endosser des
connotations négatives. L'usage assez fréquent d'un vocabulaire dépréciatif, dont tout l'art consiste à renvoyer
l'autre à ses fonctions domestiques et à sa vocation «naturelle», atteste une constante mise à l'écart de la scène
culturelle. La connaissance, l'esprit critique détruisent le
naturel parfait constituant l'un des plus appréciables attri-
buts de la féminité. D'autant que le savoir sied mal à qui ne
peut en soutenir que l'apparence.

> [...] elle est quelquefois *exquise quand elle daigne
> être simple et oublier qu'elle est savante* [...][22].

> Un travail acharné lui permet d'acquérir une
> *science étendue, quoique superficielle* [...][23].

> Ses vues critiques ne résistent guère à un examen
> approfondi. Son *information* est *étendue, mais
> superficielle* [...][24].

À ces froides élaborations, Castex et Surer préfèrent «l'aimable abandon» de Mme de Sévigné, dont la correspondance
est une sorte de «promenade capricieuse à travers les
temps», de même que «le lyrisme, la fantaisie nonchalante»
de Colette. Cet alanguissement trouve son écho dans la
peinture d'époque, où la femme de bonnes mœurs est
représentée assise, allongée sur son sofa comme Mme de
Récamier ou posée sur son lit comme Mme de Rambouillet,
tandis que l'homme, montré en buste ou en pied, est habillé,

cravaté, porte les armes ou peine à sa table de travail. L'une séduit, inspire, délasse. L'autre informe, agit, sévit.

Cette grâce féminine empreinte de nonchalance et de facilité répugne à «toutes les poses littéraires», car «on n'aime guère à trouver chez une femme une originalité qui s'impose et s'entête[25]». Celle qui ne prend pas la pose intimiste risque de voir surgir Arnolphe, pédagogue de *L'École des femmes*, qui la ramènera à ses tâches, à son homme, à son *home*. Des préoccupations collectives trahiraient l'exigence de féminité dictant la confession, l'autobiographie, le souvenir.

La subjectivité, seule approche conciliable avec une telle exigence, répugne à l'analyse, à l'élaboration mentale, aux considérations abstraites. Le *naturel parfait* incite à raconter sa vie sans transposition aucune, d'où l'échec de l'imaginaire et de l'objectivité. Il pousse à la «confidence stylisée» de Laure Conan (Baillargeon), à «l'effusion directe» et au «commentaire personnel» d'Anna de Noailles, de Lucie Delarue et de Cécile Sauvage (Castex et Surer). C'est de ce fond intime, rigoureusement autobiographique, que les femmes tirent leurs accents, leurs échos et leurs œuvres.

> Ses *poèmes les plus émouvants* sont des pièces courtes *où elle évoque sa vie*[26].

> [...] *les manières successives de son talent correspondent aux étapes de sa vie*[27].

> [...] tout à fait égocentrique, peu artiste, mais *riche d'expériences de toute sorte et goûtant avidement la vie, c'est lorsqu'elle nous parle d'elle-même et de son entourage, sans déguisement ni fiction, que Simone de Beauvoir* nous intéresse le plus[28].

> *L'intelligence* intervient discrètement et garde, dans les limites d'une *délicate convenance*, les confidences qu'elle fait sur ses contemplations [...]. *Son imagination*, en perpétuel émerveillement,

> *ne cherche pas à créer ; elle préfère se replier sur*
> *ses visions* [...] [29].

> L'auteur du *Survenant* (Germaine Guèvremont)
> n'a pas accompli des prodiges d'invention, il *lui a*
> *suffi de plonger dans ses souvenirs* [...] [30].

Comme une femme ne traite jamais que de questions
personnelles intéressant la condition féminine et non
l'ensemble de la condition humaine, chez elle, l'intérêt
politique et la tentation d'humanisme seront aussi mal vus
que le savoir. Ouvre-t-elle les lucarnes de sa maison qu'on
le lui reproche aussitôt, associant tout désir de liberté et
toute tentative de se constituer en sujet au combat féministe,
dérivé négatif de la féminité passive voilée dans son
mystère et ses secrètes émanations.

> C'est *une ardente féministe qui se déchaîne* contre
> Jean de Meung et glorifie Jeanne d'Arc [31].

> En 1803, Mme de Staël, qui vient de publier *un*
> *roman à tendances féministes, Delphine*, et qui
> s'est signalée au pouvoir central par ses opinions
> libérales, reçoit l'ordre de s'éloigner à quarante
> lieues au moins de Paris [32].

> [...] *malgré la vigueur de la cause féministe*, se
> retrouve toujours la question des rapports entre le
> texte et l'histoire, la poésie et le réel [33].

Ouvrir sa maison peut signifier aussi promouvoir des idées
politiques contraires ou étrangères à celles de la nation.
Mme de Staël n'est pas française. Ses «revendications
républicaines et sociales» sont d'autant moins prisées
qu'elles proposent une ouverture peu conciliable avec l'ethnocentrisme ambiant.

> Par un procédé singulièrement dangereux, [...] par
> cette infiltration d'idées étrangères, (elle) contri-
> buait à entamer le caractère national de notre
> littérature : genevoise et cosmopolite, elle accentua

cette mode du cosmopolitisme déjà si menaçante
au XVIIIe siècle[34].

George Sand, qui, en plus de tous les accrocs faits à la
féminité, «tenta même de jouer un rôle politique», fut
ramenée à la raison par un mouvement naturel. «Prise de
dégoût, note Calvet, elle abdiqua[35].» Tout est bien qui finit
bien. Ainsi la grand-mère Aurore Dupin put renoncer à
l'agitation sociale, retourner à «son Berry» et réintégrer le
cercle de famille où elle s'occupa par la suite de composer
«d'aimables féeries[36]» pour ses petits-enfants.

Le cercle de famille

> [...] nous n'étions pas tentées de chercher des relations
> sociales au-delà du cercle de famille.
>
> Charlotte BRONTÉ

Les manuels littéraires savants ont ceci de commun avec
les revues féminines: une femme sans famille est une
femme sans pays. Ce nomadisme inquiète. On n'a jamais
tout à fait pardonné à Simone de Beauvoir son concubinage
avec Sartre et son refus de procréer.

Le cercle de famille, c'est la maison, la maternité bienheureuse. «Mère de cinq enfants, maîtresse de maison»,
spécifie le «Ce qu'il faut savoir de Madame Guèvremont
pour goûter ses romans» de l'histoire de la *Littérature
canadienne-française* de Baillargeon. C'est aussi le lignage
paternel et la dénomination masculine qui vous situent
socialement. Le même ouvrage entoure cette femme d'un
père, d'un grand-père, d'un oncle et d'un cousin.

Être *différente de* a pour conséquence inévitable d'être
épouse de, sœur de, fille ou *petite-fille de*. Les histoires
littéraires présentent toujours Marguerite de Navarre
comme *la sœur de* François 1er, Marguerite d'Angoulême
comme *la femme du* roi de Navarre, et Mme de Maintenon

comme *l'épouse de* Scarron, puis de Louis XIV. Quant à
Mme de Staël, elle est *la fille du* ministre Necker. De même,
Mlle de Montpensier est *fille de* Gaston d'Orléans, et Mme de
Maintenon, *la petite-fille d'*Agrippa d'Aubigné. Une excep-
tion est faite pour Mme de Sévigné, dont on mentionne
parfois qu'elle est *la petite-fille de* sainte Françoise de
Chantal, « sublime amie de saint François de Sales ».

Les choses auraient-elles changé ? Examinons des manuels
plus récents édités ici. Au *Dictionnaire pratique des auteurs
québécois* (Fides, 1976), Madeleine Ferron est « mariée avec
le juge Robert Cliche », et Michèle Lalonde est « une femme
fatale » (à qui ? et à quoi ?) qui a illustré « la condition de
l'homme d'expression française en Amérique du Nord ».
Dans l'édition bilingue d'*Un siècle de littérature canadienne*
publiée quelques années plus tôt (HMH/The Ryerson Press,
1967), Michèle Lalonde était « femme du D^r (X) » et Suzanne
Paradis était « femme du poète Louis-Paul Hamel ». Pour sa
part, *Le Québec par ses textes littéraires* (France Québec/
Fernand Nathan, 1979) souligne que Diane Giguère est la
« petite-fille de Jean-Charles Harvey ».

La nécessité de situer l'auteure par rapport à une lignée ou
une alliance masculine conférant compétence et légitimité
incite parfois à remonter dans la généalogie ou à emprunter
aux lignées collatérales. Ainsi, la monographie de Seghers
sur Anne Hébert (1969) tient à spécifier que celle-ci eut pour
grand-père Eugène-Étienne Taché, architecte du Parlement
de Québec. De même, *La littérature canadienne-française*
de Baillargeon (1964) mentionne que Simone Routier est
« petite-nièce de François-Xavier Garneau », tandis que *La
poésie québécoise des origines à nos jours* (PUQ/L'Hexagone, 1981) rappelle qu'Anne Hébert est « cousine de Saint-
Denys Garneau ». Y a-t-il absence de lien parental ou
marital méritant d'être souligné ? On trouve alors un subs-
titut. Le *Dictionnaire des auteurs de langue française*
(Garnier, 1980) mentionne dès la première ligne de la
présentation de Simone de Beauvoir qu'elle fut « amie de
Jean-Paul Sartre ».

L'œuvre vaut par ce qu'elle reçoit d'homologation masculine, par ce qu'elle capte d'intelligence virile transmise par le lien affectif ou éducatif. Un homme dont l'ascendant est déterminant a précédé l'auteure dans la famille de sang, ou se trouve là, tout près, dans l'environnement social. *Fille de*, ou *amie de*, la femme écrit sous influence.

> On a souvent remarqué que *les femmes, en littérature, manquent d'individualité* et reflètent fidèlement le milieu intellectuel où elles ont vécu [...].
> G. Sand a beaucoup de goût pour les idées ; mais chez elle, *la pensée n'est ni vigoureuse ni originale.*
> On a remarqué, non sans malice, *qu'elle développe* successivement *les idées de tous les écrivains, artistes ou penseurs avec qui elle a été en relation* [37].

> Mme de Sévigné *subit volontiers l'influence des personnes avec qui elle se trouve* ; et on peut suivre à travers sa correspondance ces influences changeantes [...] [38].

> [...] *frappée d'admiration pour une intelligence* qu'elle reconnaît *supérieure à la sienne*, (Simone de Beauvoir) subit l'ascendant de Sartre [...] [39].

> *Virginia Woolf doit* sans doute *beaucoup à Proust* et à la psychologie scientifique moderne, mais *elle n'en demeure pas moins très proche d'une tradition typiquement anglaise*, dont *une précédente illustration géniale* avait été Sterne [40].

L'originalité étant rare chez la femme, il se trouve toujours quelqu'un qui a dit ou écrit la même chose en mieux auparavant. Mary Shelley, auteure de *Frankenstein*, fut avant tout l'épouse de Shelley. Elle signa *Le Dernier Homme*, lit-on dans le tome IV du *Panorama des littératures* de Marabout Université, « reflet fidèle, mais exprimé de façon plus directe et naïve, de la pensée que le poète développait [41] » dans l'*Ode au vent d'Ouest*. L'emprise masculine intervient également dans le choix du genre

littéraire. George Eliot, apprend-on encore des mêmes
sources, « se met à écrire des romans [...] lorsque Lewes la
convainc de ce que le roman, plus que l'essai [...] est le genre
par lequel elle pourra s'exprimer[42] ». Et Simone Routier
trouve sa voie de la même façon : « Encouragée par Paul
Morin, elle s'oriente vers la poésie[43]. »

Il se peut que la part de l'homme soit encore plus grande.
N'insinue-t-on pas, à propos de Laure Conan, qui vécut
« retirée dans son jardin charmant, fleurant la rose et le
muguet », que « son frère le notaire aurait corrigé l'orthographe et la ponctuation de ses récits[44] ». Si l'influence
masculine est la plupart du temps reconnue comme déterminante dans l'évolution, le ton, le choix de l'œuvre de
l'écrivaine, celle de la femme est le plus souvent considérée
comme mineure, ou passée sous silence. Elle s'inscrit dans
un travail subalterne : secrétariat, recherche, collaboration ;
ou dans le travail fantôme accompli dans l'aire domestique,
l'épouse ou l'amie inspirant ou encourageant l'écrivain,
transcrivant ses textes, recevant ses appels téléphoniques,
dactylographiant ses manuscrits. Quand Jacqueline Picasso vint au Musée des Beaux-Arts de Montréal préparer
la grande exposition Picasso, elle déclara : « Je n'ai été que
l'homme de peine de ce grand homme[45]. » L'expression
« femme de ménage » aurait été encore plus dévalorisante.

Si le père ou ses substituts que sont l'époux, l'ami, le frère,
le cousin, le protecteur, revêtent une telle importance dans
la biographie de l'écrivaine, c'est que ceux-ci lui apportent,
en même temps que la légitimité sociale, une filiation
intellectuelle ou même l'autorisation d'accéder à la culture
et à l'écriture. Mme de Staël est considérée comme « la fille
spirituelle de Rousseau[46] ». Mme de Sévigné apprit la langue
« sous la direction de deux savants hommes, Chapelain et
Ménage[47] », et fut de surcroît marquée par « Virgile, Rabelais, Nicole, Corneille ». Les grandes mystiques se mirent à
écrire à la demande ou à la suggestion de leur confesseur.
Ainsi Thérèse d'Avila rédigea *Le Chemin de la perfection*
et *Le Château intérieur* à la demande expresse du P. Garcia

de Toledo, et elle entreprit les *Fondations* sur les instances
du P. Ripalda.

Cette tutélarisation de la femme et de son œuvre engendre
l'inféodation. Que ne ferait-on pour se placer dans l'orbite
d'un homme génial ou célèbre. On prête à Mme de Staël le
souhait suivant : « Je ferais cinq cent lieues pour aller
converser avec un homme de génie que je ne connaîtrais
pas. » L'étonnant est qu'elle n'en ait pas proposé cinq mille.
La dépendance sociale du groupe des femmes vis-à-vis du
groupe des hommes entraîne une dépendance intellectuelle
et affective qui tend à prévaloir même lorsque l'on bénéficie
de privilèges de classe comme Mme de Staël, ou que l'on
mène une vie dorée comme Françoise Sagan.

Dans sa « Lettre d'amour à Jean-Paul Sartre », cette dernière
confesse : « *J'aimais* le tenir par la main et *qu'il me tînt par
l'esprit.* J'aimais faire ce qu'il me disait [...], j'aimais plus
que tout l'écouter [...] [18]. » Elle dit aussi comment elle aimait
le promener en voiture, couper sa viande, l'égayer. Il la
domine par l'esprit, elle se l'attache par des soins maternels
et l'aveu d'une admiration sans borne. Elle joue à la mère
avec celui qui ne supporterait pas, confesse-t-il, de s'entendre
appeler « cher Maître ». Elle donne du corps et de l'assistance corporelle au philosophe qui continue de résoudre
pour elle la problématique de l'être et du néant.

Cette fonction d'assistance et d'effacement qui peut reposer
sur une belle tendresse ou une tenace hostilité risque fort,
lorsqu'elle se développe à l'intérieur de la cellule domestique,
d'entraver l'œuvre de la femme créatrice qui pourrait
craindre de déroger à ses obligations familiales ou de
porter ombrage à l'époux par un succès trop voyant. Elsa
Triolet, Sophie Tolstoï, Clara Malraux, épouses d'écrivains
célèbres, se cachent pour écrire. D'autres n'écrivent jamais.
Aurélia, qui fait rêver Nerval, ne signera aucun livre. Elle
sera, comme Nadja, écrite par celui qui construira son
œuvre sur sa dissolution, la folie étant une matière première
transformable en fiction romanesque.

De même, Sade écrit sur une succession de corps de femmes. La part femme est appelée à faire œuvre charnelle, œuvre naturelle vouée à la consommation quotidienne, comme si cette part, sublimée par le don, refoulée dans les soubassements de la culture, ne pouvait figurer dans l'ordre social que par son ablation. Ces femmes, bonnes à tout faire, chauffent la marmite, manient le plumeau, aiguisent les crayons, préparent le lit et la table du poète qui s'assoit devant la page blanche comme devant un paysage déjà constitué au centre duquel il n'a plus qu'à tirer la ligne d'horizon.

« À Nicole, pour cette collaboration qui n'a pas de prix [19] », lit-on en tête d'une étude capitale sur le surréalisme en littérature québécoise. Souvent la femme est la bonne du poète. Joyce épouse la sienne. Baudelaire trouve en Jeanne Duval de quoi nourrir son œuvre. Goethe tire de ses rapports avec sa servante une Béatrice grandiose et sublime qui lui ménage l'issue du labyrinthe où il s'engage. Une colossale anthologie de la sous-culture est produite par ces auxiliaires plus ou moins clandestines — souvent dotées d'un seul prénom puisque le nom entier équivaudrait à la signature — qui cèdent leur intelligence, leur travail, la force créatrice d'un corps entièrement consacré au bonheur de l'autre, à son accomplissement et à sa réussite.

Si un récit ou une mise en forme littéraire émerge malgré tout du côté des femmes, sa diffusion en est souvent différée lorsqu'elle risque d'entacher la réputation de l'homme célèbre ou le confort du chef de famille. Pensons à la masse de fragments, journaux intimes, écrits de femmes qui dormirent dans un vieux meuble d'où ils furent exhumés une fois disparu l'amant, l'époux, le frère, qui en empêchait ou en retardait la diffusion. Le journal de Sophie Tolstoï n'a été livré au public qu'en 1978. Celui de Virginia Woolf ne pouvait être publié dans sa version intégrale du vivant de l'époux, Leonard Woolf. Le romancier Henry James détruisit en 1894, à la mort de sa sœur Alice, la copie du journal qu'elle lui avait adressé, une autre copie miraculeusement préservée ne devant connaître l'édition intégrale qu'en 1964. Mais on ne lira jamais Zelda Fitzgerald, censurée et internée par son spectaculaire époux, Scott Fitzgerald. Et les écrits de Laure, compagne de Georges Bataille, ne nous furent livrés qu'en 1977, quarante ans après sa mort. Ceux d'Andréas Salomé, parus récemment, tiennent moins, dans l'esprit de l'éditeur, au mérite d'une pensée ferme et originale qu'aux liens amicaux entretenus par celle-ci avec Freud, Rilke et Nietzsche[50].

Les raisons traditionnellement invoquées pour expliquer le petit nombre de femmes créatrices — incapacité « naturelle », inconstance, manque de talent — tiennent de la logique même du système. Une fonction sociale illégitimement exercée ne peut qu'encourir le biffage, le discrédit ou l'occultation. Au *Dictionnaire universel des noms propres* du Petit Robert, édition 1983, qui s'est donné comme principe de sélection de « ne pas bousculer la tradition culturelle et les décisions des institutions », on ne trouve pas les noms de Sophie Tolstoï, d'Alice James, de Clara Malraux (mais l'époux André Malraux s'y trouve), ni celui de la sculptrice Camille Claudel, (mais son frère Paul fait une demi-page), ni celui de Laure (mais Laure, muse de Pétrarque est citée, de même que Bataille). On y trouve aussi, parmi les gloires nationales dont on dit qu'elles furent « formatrices des civilisations », Octave Mirbeau, écrivain et journaliste, contemporain de Camille Claudel, qui trancha de son vivant avec une infaillibilité toute pontificale : « Quelques femmes — exceptions rarissimes — ont pu donner soit dans l'art soit dans la littérature l'illusion d'une force créatrice. Mais ce sont des êtres anormaux. »

Que les femmes aient maintenant accès à la création et à l'édition, qu'elles soient couvertes abondamment et même favorablement par les médias, n'implique pas nécessairement qu'elles sont reçues par le milieu institutionnel qui confère accréditation et immortalité. Cela ne les inscrit pas dans les anthologies, études, répertoires critiques, manuels, outils didactiques et programmes d'enseignement qui font que vous êtes reconnue, enseignée, et que vous touchez les droits d'auteur attachés à la vente des quelque 100 000 exemplaires susceptibles d'être absorbés à brève ou longue échéance par le marché scolaire[51]. *Faire l'événement*, ce n'est pas *faire de la culture*. Ni contribuer à l'élaboration de ce qui s'appelle en haut lieu « la civilisation ».

Quand « le style, c'est l'homme », la femme ne peut que remuer l'éventail, faire de la dentelle ou exprimer de bons sentiments. George Sand, à qui l'on reprocha d'avoir troqué son nom et son habillement de femme pour un nom et un costume masculins, avait saisi la contradiction. Pour qui veut créer, échapper au cercle de famille est parfois un itinéraire obligé. Mlle de Scudéry était célibataire tout comme Marguerite Yourcenar, Emily Brontë, Alice James, Anne Hébert, Marie-Claire Blais et Susan Sontag. Christine de Pisan, Mmes de Sévigné, de Maintenon, de Motteville étaient veuves. Mme de La Fayette, Mme de Staël et George Sand étaient séparées. Colette et Simone de Beauvoir vécurent très librement. George Eliot, les sœurs Brontë, Jane Austen, Gabrielle Roy n'eurent pas d'enfants.

Balzac disait : « Une femme avec qui on couche, c'est un roman de moins qu'on écrit. » Bien des femmes auraient pu rétorquer : « Un homme pour qui on fait la soupe, c'est une œuvre à laquelle on renonce. »

L'effet Harlequin

> Derrière son sourire, elle devinait un message, une supplique muette.
>
> Vicki LEWIS THOMPSON, *Promesse de bonheur*
> (Harlequin/Tentation)

Dans un conseil consultatif paraministériel qui vise à la promotion du livre et de la lecture, on utilise le mot *lectrice* lorsqu'on renvoie aux « lectrices de Harlequin », série sentimentale où des secrétaires, des infirmières et des hôtesses de l'air rêvent du Prince charmant riche et tout-puissant qui les séduira dans sa luxueuse voiture sport. Le reste du temps, on dit « les lecteurs », « les éditeurs », « les distributeurs », « les écrivains ».

Introduire un féminin suscite de l'étonnement, des sourires amusés, la protestation « on n'est pas des féministes ». Mais une fois la séance de travail terminée, on se confond en excuses si l'on oublie d'ouvrir la porte du restaurant ou de tirer la chaise des dames à l'heure du lunch. La porte, la table, la chaise relèvent de la sémiologie intime qui déclenche le réflexe conditionné de l'homme galant envers la femme que l'on sort. C'est ce que j'appelle l'effet Harlequin. Les catégories mentales reliées au genre émettent du *il* pour la chose culturelle, réservant le *elle* pour la chose naturelle.

Autre exemple. Lors d'un lancement, un jeune universitaire travaillant à la section « Essai » dans un important ouvrage de référence m'aborde avec un large sourire. Il s'adresse à une critique littéraire dont il souhaite se concilier les faveurs : « J'ai offert votre essai à ma femme. Mais elle vient d'accoucher, elle ne l'a pas encore lu, ça demande trop de concentration. » — « Et vous, l'avez-vous lu ? » Il rit, avouant que non. À travers une archéologie de l'écriture, cet essai, *L'Échappée des discours de l'Œil* (Nouvelle Optique, 1981), effectue pourtant une analyse critique des grandes théories modernes qui ont modelé nos comportements : psychanalyse, anthropologie, philosophie, histoire littéraire.

Penser autrement le réel, c'est déjà le changer. Le refus d'accepter la pensée des femmes comme épistémologie cohérente traduit la peur d'un décentrement qui déplacerait la perspective théorique utilisée dans l'analyse, la réception et la gestion du fait culturel.

Une femme critique littéraire reçoit souvent ce genre de note. « On vient de publier un livre de femme, de faire un numéro sur les femmes, j'espère que vous allez en parler. »

Depuis la course à la décolonisation raciale et sexuelle, des maisons d'édition et des comités de rédaction de revues s'autorisent à *parler sur, à propos de*, ou invitent des minorités ex/centriques *à parler d'elles* sous leur contrôle et à leur initiative. La reconduction de la compartimentation, et de ses marques, permet de différer l'intégration de la différence et d'en retarder les effets.

N'importe quel ouvrage de référence de n'importe quel pays dit à peu près la même chose. Le centre tend à souligner l'effet carte postale de ses périphéries, dont l'effet Harlequin est une variante plus spécifiquement marquée. Ainsi, le distingué *Harvard Guide to Contemporary American Writing*, préparé par l'establishment des grandes universités américaines, dont Harvard, utilise encore la classification de Berthelot Brunet datant de la fin des années 40. Ce guide, qui regroupe sa matière par genres — la poésie, le théâtre, la fiction, la critique littéraire — ou par écoles —les réalistes, les naturalistes, les nouvellistes «*of Manners*» —, isole par des critères raciaux et sexuels, dans des chapitres spéciaux, les productions littéraires périphériques ainsi titrées. Chapitre 5: *Jewish Writers*; chapitre 7: *Black Literature*; chapitre 8: *Women's Literature*[52].

Ce qu'il est convenu d'appeler «Littérature féminine», «Littérature des femmes» ou *Women's Literature* reste sans doute le lieu où s'inscrit le plus fermement et le plus constamment la mise à l'écart de la différence par classification, catégorisation ou omission. Ce dernier procédé est adopté par le volumineux *Manuel bibliographique des études littéraires* (Nathan, 1982), qui porte en sous-titre: *les bases de l'histoire littéraire, les voies nouvelles de l'analyse critique*. L'ouvrage effectue un décentrement important en s'ouvrant aux littératures de la francophonie (Afrique, Antilles, Belgique, Luxembourg, Québec, Suisse) et à ce qui relevait autrefois de la paralittérature (roman populaire, roman policier, bande dessinée, science-fiction). Mais, dans la somme des quelque 3 000 références fournies — dont beaucoup concernent la littérature et l'idéologie, la littérature et la psychanalyse, la littérature et la sociologie, l'histoire des idées et des mentalités —, on omet systématiquement les études signées par des femmes, ou des hommes (dont Georges Balandier) qui, au cours de ces dernières décennies, ont proposé le décentrement racial et sexuel des rapports sociaux. L'œuvre critique de Simone de Beauvoir, de Maria-Antonietta Macciocchi, de Béatrice Didier, de Françoise Collin est passée sous silence ; rien n'est mentionné des positions novatrices de Marina Yaguello, Claudine Hermann, Louise Vandelac, Nicole Laurin-Frenette et Danielle Juteau-Lee en linguistique et en sociologie ; Luce Irigaray, Sarah Kofman et Michèle Montrelay ne sont pas nommées en critique psychanalytique.

Dans un autre ouvrage, le *Guide culturel du Québec* préparé cette fois à l'intention du grand public, on nous avise dans le *Mode d'emploi* : « Pour tirer le meilleur parti de ce Guide, *le lecteur* est prié de noter les observations suivantes. [...] *Le générique masculin* est utilisé sans aucune discrimination et uniquement *dans le but d'alléger le texte*[53]. » L'introduction témoigne également de l'effort d'intégration consenti : « Nous avons volontairement évité de regrouper en une seule section les *études* et *témoignages sur la question féminine*, ce qui nous aurait paru marginaliser *un phénomène* touchant l'ensemble de la vie socio-culturelle[54]. » Énoncer le désir de non-discrimination, c'est encore le produire. On enlève d'une main ce que l'on donne de l'autre, convertissant en *phénomène* et en *témoignage* l'intervention culturelle d'un groupe social qui forme la moitié de la population, comme si toute réalisation culturelle n'associait implicitement objectivité et subjectivité, témoignage et création.

L'omission, principal instrument de biffage du féminin — déjà assimilé au masculin ou exclu du masculin par le lexique, les marques grammaticales et la nature de l'interprétation —, ne date pas d'aujourd'hui. Ainsi, la tradition française a longuement épilogué sur les chansons des troubadours et nous en légua plus de 3 000. Mais les poèmes des trobairitz, femmes de Provence vivant à la cour et écrivant à l'encontre de la tradition courtoise qui les utilisait comme facteur de promotion sociale, viennent à peine de nous être révélés [55]. Trente poèmes, écrits en langue d'oc et conservés sur manuscrit, nous révèlent une Guillerma de Rosers, une Azalais de Porcairages et une Comtesse de Die qui ne paraissent en rien inférieures à Bernard de Ventadour, Arnaut Daniel ou Jaufré Rudel.

De même, on a souvent lu que Rousseau avait été l'initiateur de la pédagogie moderne avec *Émile*, ouvrage qui renforce on ne peut mieux les stéréotypes sociaux et sexuels. On a tous entendu dire que Rabelais et Montaigne avaient rédigé les deux plus anciens traités d'éducation, mais les spécialistes du haut Moyen Âge savaient pourtant depuis longtemps que *Manuel pour mon fils* [56] avait été signé par une femme remarquable, Dhuoda, un an avant les serments de Strasbourg de 842, considérés comme les premiers textes écrits en langue romane.

Aujourd'hui, qui consulte le *Panorama des littératures anciennes et modernes* de « Marabout Université » en sept tomes pourra à peine croire que les femmes écrivent ou ont écrit. Ainsi, le tome IV, consacré à la Scandinavie, aux Pays-Bas, à la Flandre et à la Grande-Bretagne, ne cite que Mary Shelley, Virginia Woolf, les sœurs Brontë et George Eliot. Les sœurs Brontë et Eliot, regroupées sous l'étiquette « Romans féminins », sont présentées comme des phénomènes naturels émergeant d'une cohorte aquatique : « *Du flot* des romancières, deux noms *surnagent* : Brontë et Eliot. Les unes et l'autre constituent *des phénomènes étonnants* [57]. »

Par ailleurs, à voir la page couverture de l'*Anthologie de la nouvelle hispano-américaine* récemment publiée chez Belfond, on peut difficilement imaginer que les femmes latino-américaines écrivent. Seize photos d'hommes occupent tout l'espace de la représentation et de l'identification, que le sommaire ne viendra en rien contredire. Comment s'identifier à ce qui n'est pas nommé, reconnu, cité? Comment le milieu étudiant pourrait-il, par exemple, en ouvrant le colossal tome VI de Lagarde et Michard, consacré au XXᵉ siècle, souhaiter lire une femme quand seulement deux — Colette et Simone de Beauvoir — ont droit à une présentation détaillée, mais que 105 auteurs masculins commandent un titre ou un sous-titre de chapitre en majuscules et que 25 autres figurent au sommaire? Qui accordera quelque intérêt à « La poésie féminine » regroupant quelques noms suivis du commentaire :

> Mais partout, dans ce groupe féminin, *dominent l'épanchement* et *la libre vibration* au contact du monde sensible. Il *faudra attendre qu'une influence valéryenne marque l'œuvre,* tard connue, de Catherine Pozzi (1882-1927) *pour que la poésie féminine retrouve quelque chose des ambitions viriles* ⁵ˢ.

La présélection détermine l'élection tant au sens large qu'au sens strict. Ainsi, quand la revue *Lire* procéda, dans son numéro d'octobre 1982, à un référendum visant à désigner « les 10 plus grands écrivains français de tous les temps », la rédaction décida, afin de faciliter le choix, de dresser une liste indicative de 40 écrivains ayant vécu du XVIᵉ au XXᵉ siècle. N'y figuraient que deux femmes : George Sand et Mme de Staël. Les résultats se rapprochèrent de ceux enregistrés par le sondage national IFOP (Institut français d'opinion publique) commandité par la revue. Hugo se partagea les honneurs de la victoire avec Molière. Mᵐᵉ de Staël se classa en dernière position dans les deux cas. George Sand arriva dix-neuvième chez IFOP et trente-deuxième à *Lire*. Mais Colette occupa la troisième place dans la catégorie des écrivains omis de la liste proposée, ce qui prouve bien que les choix du public ne coïncident pas nécessairement avec ceux de l'institution littéraire.

Ces exemples, et d'autres du même genre que l'on pourrait ajouter, illustrent la disproportion de la représentation culturelle entretenue dans l'appareil de diffusion et de consécration littéraires. L'absence de mixité du corps professoral et des approches critiques divulguant l'enseignement et l'interprétation de la littérature accentue la non moins grande absence de mixité qui prévaut dans le monde de l'édition, où les directeurs littéraires et les directeurs de collection sont rarement des femmes.

Ici comme ailleurs, pour être enseigné, glosé, consacré, il suffit à un homme écrivain d'obtenir la reconnaissance locale. Mais pour figurer dans une collection de poche, pour faire l'objet d'un choix de cours ou d'une mention dans un traité spécialisé, une femme écrivain doit encore trop souvent bénéficier au préalable d'une reconnaissance internationale. La tendance est d'autant plus forte que dans ces traités et études magistrales fabriqués majoritairement ou exclusivement par des hommes, un certain nombre de collègues pratiquent le jeu d'encensoir avec retour d'ascenseur. Un bon service en attire un autre, une mention opportune et une critique favorable seront payées de retour.

L'effet Harlequin se fait également sentir dans un certain nombre de rencontres et de colloques où les femmes, à l'opposé des hommes, sont souvent nommées par leur seul prénom — le nom est un indicateur social, le prénom, une référence intime — et se trouvent affectées à la discussion de problèmes féminins. Ainsi, au colloque « Langue et Société au Québec » tenu à l'Université Laval à l'automne 1982, les ateliers traitant des implications socio-politiques et socio-culturelles de la langue regroupent surtout des hommes. Aucune femme n'est présente à l'atelier « Langue et nationalisme » (parlent-elles français ? l'enseignent-elles à la maison et à l'école, où elles forment 90 % des effectifs au primaire et aux paliers inférieurs du secondaire ?). Elles occupent majoritairement l'atelier « La littérature enfantine au Québec », et exclusivement « L'écriture au féminin ». À l'opposé, dans l'un des deux ateliers consacrés à la poésie, tous les conférenciers sont des hommes ; et la plupart des Néo-Québécois se retrouvent à l'atelier « L'apport des communautés culturelles à la vie culturelle québécoise ». Les autochtones brillent par leur absence. Rien dans le programme ne semble rejoindre les communautés inuit et amérindiennes, témoigner de leurs problèmes linguistiques, de la transmission ou de l'intégration de leur corpus de mythes et de récits anciens à leur système éducatif ou au nôtre.

Un mois plus tôt se tenait le congrès annuel de l'Union des écrivains québécois. L'atelier « Les femmes et l'institution littéraire » regroupait, à l'initiative de l'animatrice, un nombre égal de conférenciers et de conférencières. Mais ce sont exclusivement des hommes qui se posèrent la question « Les écrivains sont-ils des intellectuels ? ». Le même phénomène se répète à l'instant où je rédige ce texte. Un communiqué de presse posté par le Département d'études littéraires de l'Université du Québec à Montréal annonce la parution de l'essai *Lecture politique du roman québécois*. Au sommaire de l'étude : que des textes d'hommes. Et en postface : « Notes pour un auto-portrait politique d'un intellectuel petit-bourgeois des années 1960. »

Il y a fort à parier que cet intellectuel, qui compte maintenant 20 ans de plus, répugne encore à imaginer le féminin dans son univers conceptuel et grammatical. Comme tant d'autres, il trouve probablement rassurant d'ouvrir une revue spécialisée ou un ouvrage savant et d'y trouver les femmes en exergue dans ces lieux indicibles de la féminité ou ces autres lieux qui, lorsqu'ils sont convoqués sur la scène politique, s'appellent désormais « condition féminine » ou « féminisme ».

Quelle place occupez-vous ?

Sa place fut mise en demeure.

Nicole BROSSARD

Trois siècles et demi après sa fondation, l'Académie française ne compte toujours qu'une seule femme. À la distinguée Société Royale britannique, trois pour cent des membres sont des femmes. Mais l'Académie canadienne-française, plus jeune et périphérique, a consenti à ce que le tiers de ses sièges soient occupés par des femmes.

Une étude récente révélait que la place réservée aux femmes était de 26% dans les anthologies « canadiennes », et de 20% dans les recensions et critiques journalistiques [59]. Je ne dispose pas de statistiques pour le Québec, mais on peut croire que, si la part réservée aux femmes dans les anthologies paraît équivalente, elle est sans doute plus élevée dans les journaux, tout au moins dans les grands quotidiens.

Non attendue par les lieux institutionnels, la femme hante nos traités littéraires en butte au sentiment contrarié, à l'anecdote futile, parfois réceptive à l'influence des maîtres qu'elle s'efforce d'égaler. Elle y inspire de très beaux poèmes et de fort belles intrigues, mais paraît elle-même rarement inspirée.

C'est l'argument machiste par excellence. N'a-t-on pas célébré partout la femme, et sa grâce, et sa beauté ? Elle fut effectivement largement célébrée, c'est-à-dire prise comme objet esthétique au même titre qu'un coucher de soleil, une cathédrale antique ou un lac paisible. Mais c'est en tant que sujet, en tant que productrice d'œuvre que son absence interroge. Jusqu'au XXe siècle, les rares femmes agréées par les ouvrages littéraires ont une histoire exceptionnelle, alors que les biographies de Rimbaud, de Villon ou de Molière sont des plus communes. Si la production littéraire des femmes apparaît comme mineure par rapport à celle des hommes, impropre à figurer dans les corpus officiels, il faut qu'elle soit ou vraiment nulle, ou totalement irréductible aux normes fixées par des savoirs et des pouvoirs qui lui demeurent étrangers.

Il y a toujours un étroit rapport entre la production littéraire d'une époque et la conception de l'art, de l'histoire, du pouvoir à la même époque. Tout comme il y a adéquation entre la forme de littérature reconnue comme significative et le groupe social qui en détermine la signification. De toutes les littératures périphériques, la littérature produite par les femmes est celle qui fut historiquement la plus marginalisée. La part des femmes absentes de l'histoire littéraire — et cela s'applique aussi bien à l'histoire de l'art — traduit-elle une inadéquation radicale entre les pratiques sociales, culturelles du groupe des femmes et les critères esthétiques, moraux, philosophiques imposés par les milieux institutionnels ? D'où une difficulté d'insertion qui persisterait dans un système incompatible avec le lieu occupé et les valeurs vécues.

Pour l'institution littéraire, s'ouvrir à ces pratiques obligerait non seulement à redéfinir les critères de sélection de l'objet culturel, mais encore à expliciter les fondements de l'histoire littéraire et de l'histoire elle-même. Cela obligerait aussi à prendre en considération les rapports qui lient l'œuvre au savoir, au pouvoir, et donc aux circonstances de sa production et aux conditions de sa réception. L'enjeu est grand. On préfère maintenir un appareil de défense qui perpétue ou accentue l'écart. Ainsi, un essai littéraire qui établit la trajectoire idéologique suivie par l'écriture à partir des scarifications corporelles — première forme d'inscription de l'ordonnance sociale — jusqu'à la littérature de cette fin de siècle est exclu d'une anthologie sous prétexte qu'il « relève de l'anthropologie [60] ».

Cette dissolution de la femme écrivain dans l'institution littéraire s'accompagne souvent, dans la fiction, d'une mise à mort symbolique du personnage féminin. À cet égard, une étude de Janine Boynard-Frot portant sur les romans du terroir parus au Québec entre 1860 et 1960 aboutit aux conclusions suivantes : 34 femmes mariées sont mortes à l'ouverture du roman où domine le père, qui ne disparaît la plupart du temps qu'en séquence finale. Et, des femmes mariées présentes en séquence initiale, 45% disparaissent avant le dénouement, à l'exemple d'Alphonsine de *Trente arpents* [61]. Par ailleurs, parmi ceux et celles qui ont déserté la campagne pour la ville, 5 fois plus nombreux du côté masculin, 15% d'hommes meurent contre 42% de femmes.

Et les hommes qui réintègrent la vie rurale, 4 fois plus nombreux, sont aussitôt pourvus d'une épouse apte à procréer et sont désignés, dans la suite du récit, par les termes de *chef, roi, seigneur, maître.*

Je ne sais ce que révélerait une étude qui inclurait le roman urbain de ces 20 dernières années. Il se pourrait que les femmes y meurent encore beaucoup malgré la courbe de longévité que leur accorde la vie réelle. Quoi qu'il en soit, il semble exister une certaine analogie entre la liquidation de la femme personnage effectuée dans le roman rural et la mise à l'écart de la femme écrivain par l'institution littéraire traditionnelle. L'examen des ouvrages littéraires révèle la constance d'un certain nombre de marques intra ou métatextuelles destinées à situer l'écrivaine dans les lieux convenus de la féminité, à la limite du champ littéraire, loin du centre où s'écrit et se transmet l'œuvre universelle. Ces marques, particulièrement abondantes dans la caractérisation sexuelle de l'œuvre ou de l'auteure, ne sont pas sans offrir une certaine similitude avec les marques de caractérisation ethnographique analysées dans les précédents chapitres. Elles portent en général toutes un fort coefficient de naturalité.

Parmi les marques intratextuelles, reviennent avec une fréquence accusée les procédés suivants, déjà illustrés dans les exemples précédemment cités.

— Classification et identification à connotation sexuelle, dérivées de fonctions physiologiques ou de la catégorie biologique qui les fonde et reste sans équivalent masculin : « la littérature féminine », « le roman féminin », « du côté des femmes ».

— Confirmation de stéréotypes sociaux et sexuels dans l'analyse du style : « sans plus d'embarras que si elle eût raccommodé son linge », « l'originalité étant rare chez la femme », « plus femme que poète », « ce style a fait toilette », « quelque chose d'humide chez la grande Colette ».

— Tendance à situer l'œuvre ou le procédé du côté des phénomènes naturels bruts et non du côté de l'art : « une multitude de voix féminines », « ses angoisses viscérales », « la colère et le vouloir-vivre d'une femme », « revenant d'instinct à l'effusion directe et au commentaire personnel ».

— Présentation de l'œuvre comme l'expression d'un mouvement politique et non comme le produit d'un travail littéraire : « littérature féministe », « poésie féministe », « un vivant témoignage sur la condition féminine ».

— Accréditation des femmes par le lignage paternel, l'association maritale ou affective : « fille de Necker », « épouse de Scarron », « amie de Jean-Paul Sartre », « cousine de Saint-Denys Garneau ».

— Emploi d'une dénomination à caractère parental, titulaire ou familier, autorisant parfois l'emploi du seul prénom qui désigne la femme comme être domestique, sexué, plutôt qu'être social : « Marie de France » (prénom et pays), « notre Colette », « la bonne dame de Nohant », « comme le soulignait Nicole dans son intervention ».

— Usage ironique du féminin dans un texte où prévaut l'usage exclusif du masculin : « ce peloton de neuf ou dix poétesses », « une cohorte de poétesses amoureuses », « une faunesse déchaînée ».

À ces marques intratextuelles s'ajoutent des marques extra-textuelles qui, dans la présentation matérielle de l'œuvre ou de l'auteure, renforcent le discours critique. La différence, déjà stigmatisée par le contenu, devient visuellement saisissable.

— Tendance à isoler la production féminine de la production globale, comme si une différence de nature exigeait cette mise à l'écart.

— Tendance à placer la production masculine dans les lieux importants de l'ouvrage dont elle constitue l'épine dorsale, les articulations majeures, le texte principal. À l'inverse, la production féminine est résumée en quelques paragraphes, tout simplement omise, renvoyée dans des notes brèves en bas de page, ou regroupée en un seul chapitre, la plupart du temps le dernier, et coiffée d'un titre reflétant la notion d'espèce : « Des mots et des femmes », « Le romantisme féminin des années 30 », « Romans féminins ».

— Présentation d'un auteur masculin par chapitre, avec nom donné en titre, rendu par des majuscules ou une disposition typographique qui en fait ressortir l'importance. Mais regroupement des auteurs féminins, dont les noms sont placés en retrait, donnés en minuscules, omis du sommaire, de l'index, dissimulés dans un hors-texte qui les rend invisibles ou insignifiants.

— Tête de chapitre attribuant l'évolution historique et la spécificité du littéraire à la production masculine ; la production féminine, de par le dispositif formel et le choix des caractères, faisant figure d'appendice ou de complémentarité aléatoire.

— Avertissement ou note explicative confessant le désir de non-discrimination, mais usage exclusif ou prépondérant du masculin appliqué à l'ensemble du processus littéraire : « le lecteur », « le chercheur », etc.

— Différence dans le mode de présentation. Nom et prénom pour l'auteur ; statut marital, nom et prénom pour l'auteure : « Mlle Simone Routier », « Mme Germaine Guèvremont », etc.[62]

Ces marques, jointes aux effets de contenu et aux stratégies de contrôle, révèlent la place qu'occupe la production des femmes dans l'institution littéraire. Diffusées par le système scolaire et les milieux institutionnels, elles illustrent un rapport social dont on reproduit les effets et reconduit le fonctionnement sans révéler la pertinence de ses choix, la valeur de ses jugements, le fondement de ses omissions et exclusions.

Supprimer le marquage des territorialités sexuelles en littérature signifierait accorder le même traitement dans l'analyse, les commentaires, la présentation formelle, à des personnes bénéficiant d'un statut identique. Ce serait donc, d'une certaine manière, revenir à la littérature après avoir eu le courage d'en sortir. L'entreprise est sans doute moins simple qu'il ne semble.

Quel prix valez-vous ?

> [...] les prix sont un outil de perception, de dévoilement de la littérature.
>
> Réginald MARTEL

Depuis sa fondation en 1901, le prix Nobel de littérature, le plus prestigieux de tous les prix, n'est allé que trois fois à des non-Occidentaux[63]. Et il n'a couronné que six femmes[64]. Le Nobel est un prix international. Il a la réputation de se prêter à des enjeux politiques qui ont souvent été contestés par les récipiendaires. On ne saurait donc s'en servir pour illustrer le sort fait aux prix nationaux.

Néanmoins, on peut se demander si la différenciation sexuelle marquée par l'institution littéraire dans la réception, la sélection et l'appréciation des œuvres se reflète également dans le régime d'attribution des prix littéraires. Qu'en est-il au Québec, par exemple, société jeune où le poids de la tradition pourrait peser moins lourd qu'ailleurs ? Se démarque-t-on, en ce domaine, des pratiques observables en histoire et en critique littéraires ?

De prime abord, une contradiction frappe. Les grands prix littéraires locaux semblent aller majoritairement aux écrivains masculins. Mais, exception faite du prix Apollinaire décerné à Gaston Miron, considéré comme le poète « national » par excellence, ce sont des femmes qui obtiennent les grands prix littéraires français : le Fémina (Marie Lefranc, Gabrielle Roy et Anne Hébert), le Médicis et le Prix de l'Académie française (Marie-Claire Blais), le Goncourt (Antonine Maillet). Cette reconnaissance extérieure leur a d'ailleurs valu pendant longtemps le privilège d'entrer dans le château fort du prix David (de gestion provinciale) et du Prix du Gouverneur général (de gestion fédérale), qui auraient eu mauvaise grâce à ignorer des noms consacrés par Paris, qui possédait, de par son infrastructure économique, le pouvoir de leur donner une audience internationale.

Si l'on examine le *Répertoire des prix littéraires* [65] fournissant la liste détaillée des lauréats et lauréates des prix offerts en milieu québécois depuis leur origine jusqu'en 1986, on constate que 29,7 % de la totalité des prix sont allés aux femmes, mais que les écrivains masculins ont raflé la majorité des prix prestigieux, parmi lesquels figurent le David, couronnant « l'ensemble de l'œuvre littéraire d'un créateur québécois », le Prix du Gouverneur général du Canada (section française), distinguant « les auteurs des meilleurs livres de langue française », et le Grand Prix de la Communauté urbaine de Montréal, aboli en 1983. À cet égard, dresser des tableaux indicatifs permet d'illustrer cette tendance de façon plus précise.

TABLEAU I

Prix très prestigieux à gestion gouvernementale ou para-gouvernementale

Prix	*H.*	*F.*	*Montant*	*Gestion & financement*
Prix Athanase David (1967)[66]	17	4	15 000 $	Ministère des Affaires culturelles du Québec.
Prix du Gouverneur général (1960)[67]	57	18	5 000 $	Conseil des Arts du Canada et Fondation Molson.
Grand Prix de la Communauté urbaine de Montréal (1965)	17	1	3 000 $	Conseil des Arts de Montréal et Communauté urbaine de Montréal.
Total	91	23		
Pourcentage	79,8%	20,2%		

On constate également que peu de femmes reçoivent les prix prestigieux à gestion inter-gouvernementale et à but politique non avoué que sont les prix France-Québec, Québec-Paris, Belgique-Canada et Canada-Suisse, remportés à 77,6% par les écrivains masculins.

TABLEAU II

Prix prestigieux à gestion inter-gouvernementale et à but politique non avoué

Prix	H.	F.	Montant	Gestion & financement
Prix Québec-Paris[68] (1958)	23	4	2 500 $	Gouvernement du Québec, Gouvernement français et Ville de Paris.
Prix France-Québec (1965)	17	8	400 $	Gouvernement du Québec et Gouvernement français.
Prix Belgique-Canada (1971)[69]	10	2	2 500 $	Ministère des Affaires extérieures du Canada, Ministère belge de la culture française, Conseil des Arts du Canada.
Prix Canada-Suisse (1980)	2	2	2 500 $	Conseil des Arts, Fondation suisse Pro Helvetia.
Total	52	16		
Pourcentage	76,5%	23,5%		

C'est néanmoins lorsque le prix comporte un but politique spécifiquement avoué que la majorité masculine est la plus écrasante. Ainsi, elle est de 70% lorsque le prix a pour objet «d'encourager *les Canadiens* qui se sont distingués dans les domaines des arts, des humanités ou des sciences sociales à continuer à contribuer à l'enrichissement de la vie culturelle et intellectuelle du Canada[70]» (section française du prix Molson de 50 000 $ qui donnait encore comme objectif, dans le *Répertoire*, jusqu'en 1984: «contribuer à l'unité nationale»).

Cette proportion atteint 89% quand on se donne pour but
« d'*encourager la production littéraire chez les francophones*
qui vivent à l'extérieur du Québec, et de *susciter chez les*
Québécois un intérêt pour les francophones qui sont en
situation de minorité hors du Québec [71] » (prix Champlain).
Et elle grimpe à 89,4% lorsque le prix entend « signaler les
mérites d'un compatriote dont la compétence et le rayonnement dans le domaine intellectuel et littéraire *servent les*
intérêts supérieurs de la nation québécoise [72] » (prix Duvernay, qui s'accompagne de la médaille *Bene merenti de*
patria).

TABLEAU III

Prix prestigieux à but politique avoué

Prix	H.	F.	Montant	Gestion & financement
Prix Duvernay (1944)	34	4	1 000 $	Société Saint-Jean-Baptiste de Montréal.
Prix Champlain (1957)	24	4	1 000 $	Conseil de la vie française en Amérique.
Prix Molson (1963) [73]	7	3	50 000 $	Conseil des Arts et Fondation Molson.
Total	65	11		
Pourcentage	85,5%	14,5%		

Ajoutons à la reconnaissance publique les sommes d'argent
parfois considérables attachées à ces prix prestigieux, et
nous comprendrons qu'ils puissent être convoités. La
répartition des prix prestigieux semble plus équilibrée
lorsque ceux-ci sont administrés par des institutions culturelles, comme en témoignent la Médaille de l'Académie
canadienne-française et le prix Molson de l'Académie

canadienne-française. Mais on peut voir à propos de l'ex-
prix de la revue *Études françaises* que la mixité semble
encore plus compromise dans une gestion universitaire que
dans une gestion à caractère gouvernemental.

TABLEAU IV

Prix prestigieux administrés par des institutions culturelles

Prix	H.	F.	Montant	Gestion & financement
Médaille de l'Académie canadienne-française (1946)	7	4	—	Académie canadienne-française.
Prix Molson de l'Académie canadienne-française (1983)	2	2	5 000 $	Académie canadienne-française, brasserie Molson, U.N.E.Q.
Prix Études françaises (1966)[74]	8	0	2 000 $	Presses de l'Université de Montréal et Imprimerie Thérien Frères Ltée.
Total	17	6		
Pourcentage	74%	26%		

Les prix littéraires sont-ils moins prestigieux, visent-ils des
préoccupations plus commerciales que politiques, concer-
nent-ils des écrivains plus jeunes à l'identification sexuelle
et sociale moins tranchée, ou touchent-ils un secteur de
création sous-estimé? Nous assistons alors à un renversement spectaculaire. Les trois quarts des prix accordés à
la littérature enfantine et à la littérature de jeunesse vont à
des femmes, même si le pourcentage de l'un de ces prix
tombe à 14,3% lorsqu'il est administré par une instance
gouvernementale, comme dans le cas du Prix de littérature
de jeunesse Québec/Wallonie-Bruxelles.

TABLEAU V

Prix de littérature enfantine et de jeunesse

Prix	H.	F.	Montant	Gestion & financement
Prix de littérature de jeunesse du Conseil des Arts du Canada (1975)	9	12	5 000 $	Conseil des Arts du Canada.
Prix de littérature Québec/Wallonie-Bruxelles (1981)	6	1	2 500 $	Ministère des Relations internationales du Québec et Ministère belge de la culture française.
Concours littéraire ACELF (1er prix) (1958)	3	15	1 000 $	Association canadienne d'éducation de langue française.
Prix Alvine Belisle (1974)	2	12	500 $	Association pour l'avancement des sciences et des techniques de la documentation.
Total	20	40		
Pourcentage	33,3%	66,6%		

En poésie, le prix Octave-Crémazie, que l'on disait jusqu'en 1984 offert « à tous les Québécois et Québécoises qui ne font pas partie des écrivains professionnels », a distingué jusqu'à maintenant trois femmes et trois hommes. Mais le prestigieux prix Émile-Nelligan créé en 1979, et appelé à « signaler à l'attention du public le recueil d'*un poète* de 35 ans ou moins », est allé presque exclusivement à des poètes masculins. Il est trop tôt pour dire quelle orientation prendront deux prix de formation récente, le Grand Prix de poésie de la Fondation des Forges et le Prix littéraire, section poésie, du *Journal de Montréal*.

Fait important à signaler. Lorsque les prix sont attribués sur manuscrit, c'est-à-dire lorsqu'ils ne comportent aucune identification susceptible d'influencer les choix du jury — nom, âge, sexe, profession, lieu de provenance —, ils favorisent davantage les femmes. L'équilibre se rapproche alors de la répartition 50-50.

TABLEAU VI

Prix attribués sur manuscrits anonymes

Prix	H.	F.	Montant
1er Prix du concours d'œuvres dramatiques radiophoniques de Radio-Canada (1972)	14	12	2 000 $
1er Prix du concours de nouvelles de Radio-Canada (1984)	1	1	2 000 $
Prix littéraire Esso du Cercle du Livre de France (1950)[75]	20	12	5 000 $
1er Prix Robert-Cliche des Éditions Quinze (1978)	3	4	1 000 $ Traduction anglaise.
1er Prix Marie-Claire-Daveluy (1969)	7	6	700 $
Prix Adrienne-Choquette (1980)	3	1	1 000 $
Prix Octave-Crémazie (1979)	2	3	500 $
Concours littéraire ACELF (1958)	3	15	2 000 $
Prix de la Plume Saguenayenne (1977)	6	3	800 $
Prix littéraire Marcel-Panneton (1984)	1	0	1 000 $
Prix Gaston-Gouin (1978)	1	2	500 $
Prix littéraire de l'Abitibi-Témiscamingue (1973)	8	10	500 $
Concours pour jeunes auteurs (Salon du livre de Québec) (1986)	2	1	500 $ Édition
Total	71	70	
Pourcentage	50,3%	49,7%	

Il ne semble pas par ailleurs que les résultats obtenus dans les prix de traduction se démarquent beaucoup de ceux affichés pour les prix littéraires proprement dits. Les traducteurs remportent à 73,7% le prestigieux Prix de traduction du Conseil des Arts (5 000 $), mais les traductrices enlèvent à 66% le Prix de traduction John-Glassco (500 $) destiné à « encourager les débutants ». Il en est de même pour les prix spécifiques à certaines régions, qui vont aux hommes à 70,4%, proportion qui baisse à 63,6% si l'on exclut les deux prix de formation antérieure à 1965 (prix Juge-Lemay, Grand Prix littéraire de la société Saint-Jean-Baptiste de la Mauricie).

TABLEAU VIII
Prix spécifiques à certaines régions

Prix	H.	F.	Montant	Gestion & financement
Grand Prix littéraire de la société Saint-Jean-Baptiste de la Mauricie (1963)	8	1	500 $	Société Saint-Jean-Baptiste de la Mauricie.
Prix littéraire de Trois-Rivières (1984)	3	0	2 000 $	Société des Écrivains de la Mauricie, Ville de Trois-Rivières, Université du Québec à Trois-Rivières, Cégep de Trois-Rivières.
Prix littéraire Marcel-Panneton (1984)	2	0	1 000 $	Bibliothèque centrale de prêt de la Mauricie.
Prix littéraire de l'Outaouais (1982) [76]	4	0	1 000 $	Société nationale des Québécois de l'Outaouais.
Prix Alfred-DesRochers (1978)	1	4	500 $	Association des auteurs des Cantons-de-l'Est.
Prix Gaston-Gouin (1978)	1	2	300 $	Association des auteurs des Cantons-de-l'Est.

TABLEAU VIII (suite)

Prix spécifiques à certaines régions

Prix	H.	F.	Montant	Gestion & financement
Prix littéraire de l'Abitibi-Témiscamingue (1973)	8	10	500 $	Université du Québec et divers organismes et associations.
La Plume Saguenayenne (1977)	8	1	800 $	Société des écrivains canadiens, section Saguenay.
Prix littéraire de la BCP du Saguenay–Lac-Saint-Jean (1979)	3	5	500 $	Bibliothèque centrale de prêt du Saguenay-Lac-Saint-Jean.
Prix Juge-Lemay (1952)[77]	24	6	200 $	Société Saint-Jean-Baptiste de Sherbrooke.
Prix Benjamin-Sulte (1972)[78]	7	1	100 $	Société Saint-Jean-Baptiste de la Mauricie.
Prix des arts Maximilien-Boucher (1980)[79]	6	1	1 000 $	Société nationale des Québécois de Lanaudière.
Total	75	31		
Pourcentage	70,4%	29,6%		

L'examen de la répartition des prix littéraires permet de dégager certaines constances. Plus le prestige attaché au prix décerné est grand, plus sa gestion est institutionnelle, plus il porte de tradition et endosse de connotations politiques et culturelles, et moins les écrivaines ont de chances de l'obtenir. À l'opposé, si le prix est de formation récente, concerne des écrivains débutants et des manuscrits anonymes, touche la littérature enfantine, la littérature de jeunesse, ou comporte peu de gratifications sociale et

monétaire, il devient alors beaucoup plus accessible aux
femmes écrivains.

La carence peut s'expliquer en partie par le fait que traditionnellement les femmes étaient moins nombreuses à
écrire que les hommes, et le sont peut-être encore. L'Union
des écrivains québécois, organisme syndical auquel on est
libre d'adhérer, compte 38% de femmes parmi ses 491
membres. Et la Société des écrivains canadiens (de langue
française), dont les critères d'admissibilité sont beaucoup
plus larges, en compte pour sa part 51,5%. Mais les questions
restent ouvertes. Pourquoi les femmes seraient-elles moins
nombreuses à écrire, alors que la population féminine du
Québec excède de 2% la population masculine? Et pourquoi,
proportionnellement à leur nombre, se classent-elles dernières dans l'attribution des prix prestigieux, alors qu'elles
viennent en tête dans la section de littérature enfantine et
de jeunesse (où elles sont sans doute plus nombreuses à
œuvrer que leurs collègues masculins), et presque à égalité
dans les textes jugés sur manuscrit?

En dernier ressort, on peut considérer que la déconstruction
du langage et des genres littéraires effectuée par plusieurs
d'entre elles au cours de cette dernière décennie a pu
contribuer à disqualifier leur œuvre. Mais peut-être aussi
faut-il se montrer sensible au rôle joué par la composition
des jurys. Ainsi, jusqu'en 1960, la représentation féminine
au jury du prix David, le prix numéro un du Québec, est de 0
à 7,1% [80]. Puis elle connaît une hausse progressive, atteint
33% en 1979, passe à 66% en 1982 et 1983, pour se stabiliser
à 50% à compter de 1984. Au fédéral, le jury du Prix du
Gouverneur général, qui n'admet une représentation que
masculine jusqu'en 1979, concède par la suite le tiers de sa
représentation aux femmes, sauf dans la section poésie, qui
résiste jusqu'en 1982. Mais le colossal Molson de 50 000 $,
qui distingue les arts, les humanités et les sciences sociales,
a beaucoup de mal à ouvrir son jury aux femmes.

Nous venons d'examiner comment s'indique la différenciation sexuelle dans l'attribution des prix littéraires en milieu québécois. Des conclusions analogues, ou même plus accablantes, se dégageraient peut-être d'un examen de l'attribution des prix tenant compte de la différenciation géographique ou ethnique. Un poète haïtien édité à Montréal et un auteur abitibien publié en Abitibi ont probablement encore moins de chance de décrocher le David, le Duvernay ou le Prix France-Québec qu'une romancière montréalaise. D'appartenir à la majorité, d'habiter une grande ville, de se trouver de par sa position géographique ou sociale à proximité du centre ou dans le centre — c'est-à-dire dans le lieu ou près du lieu bénéficiant d'un plus grand dynamisme culturel, où se prennent les décisions et où s'effectuent les sélections — offre a priori plus de chances de perfectionner sa production et d'établir des contacts avec les éditeurs, les médias et les personnalités influentes que si l'on habite en périphérie.

On se plaint souvent que les prix littéraires ont ici peu ou pas d'effet sur les ventes. La raison première en est sans doute que le marché du livre québécois est un marché à caractère postcolonial où la production locale n'occupe que 20% du volume de l'industrie. Ce marché doit supporter la concurrence de multinationales françaises et américaines et vaincre de surcroît le sentiment d'infériorité du public québécois, dont l'identité mal définie, tout aussi postcoloniale, répugne à reconnaître son inachèvement dans sa littérature et préfère s'en remettre à des œuvres étrangères qui ne lui renvoient pas son image. Dans un tel système, les prix littéraires fonctionnent comme des symboles distinguant des œuvres de fiction lancées dans un marché fictif. Leur fonction première est de refléter le milieu institutionnel qui les accorde, et non les écrivains, la population lectrice ou même les œuvres. D'où un certain désintérêt du public pour une consécration qui ne rejoint pas sa perception de la littérature et se reflète à peine dans les journaux et les étalages des librairies où triomphe le livre étranger.

De façon générale, on peut dire que le régime d'attribution des prix reflète l'ensemble des structures de production, d'accréditation et d'interprétation de la littérature. Les prix littéraires sont dotés de la même fonction que le manuel d'histoire littéraire ou l'anthologie. Ils sont « un outil de perception » et de « dévoilement » de la littérature au sens le plus strict. Ils apprennent à percevoir l'*œuvre* qu'ils dévoilent. Et ils dévoilent *qui* et *quoi* doit être *perçu*. Ces prix sont une distinction au sens premier du terme. Ils ne désignent « l'action de distinguer », de conférer la « marque d'estime, (et d') honneur qui récompense le mérite » que parce qu'ils ont pouvoir d'être, comme le dit *Le Petit Robert*, « ce qui établit une différence », cause et effet de leur valeur.

---

1. Réponse de Jean D'ORMESSON à la récipiendaire. *Le Monde*, 23 janvier 1981, p. 19.

2. Berthelot BRUNET, *Histoire de la littérature canadienne-française*, suivie de *Portraits d'écrivains*, Montréal, HMH, 1970, p. 117, (Collection « Reconnaissances »). (Édition originale aux Éditions de l'Arbre, 1946.) Nous soulignons.

3. Auguste VIATTE, *Histoire littéraire de l'Amérique française des origines à 1950*, Québec, Presses Universitaires Laval/Paris, Presses Universitaires de France, 1954, p. 187.

4. Laurent MAILHOT et Pierre NEPVEU, *La poésie québécoise des origines à nos jours*, Montréal, Les Presses de l'Université du Québec/Les Éditions de l'Hexagone, 1981, p. 44. Nous soulignons. (Sera supprimé dans la réédition de 1986, Collection « Typo », l'Hexagone.)

5. LAGARDE et MICHARD, *Les grands auteurs français au programme*, tome VI, XXᵉ siècle, Paris, Bordas, 1963, p. 605. Nous soulignons.

6. René DOUMIC, *Histoire de la littérature française*, 24ᵉ édition, Paris, Delaplane, 1907, p. 284. Nous soulignons.

7. LAGARDE et MICHARD, *op. cit.*, tome I, *Le Moyen Âge*, p. 45, à propos de Marie de France.

8. Léon THOORENS, *Panorama des littératures*, tome IV, Verviers (Belgique), p. 278, (Collection « Marabout Université »). Nous soulignons.

9. Samuel BAILLARGEON, *Littérature canadienne-française*, Montréal, Fides, p. 250. Nous soulignons.

10. Berthelot BRUNET, *op. cit.*, p. 120, à propos de Geneviève de la Tour Fondue. Nous soulignons.
11. René DOUMIC, *op. cit.*, p. 228.
12. Gustave LANSON, *Histoire de la littérature française*, 10ᵉ édition revue, Paris, Hachette, 1908, p. 984. Nous soulignons.
13. André CALVET, *Manuel illustré de l'histoire de la littérature française*, 26ᵉ édition, Paris, Gigord, 1962, p. 715. Nous soulignons.
14. René DOUMIC, *op. cit.*, p. 288. Nous soulignons.
15. André CALVET, *op. cit.*, p. 383. Nous soulignons.
16. CASTEX et SURER, *Manuel des études littéraires françaises*, tome I, p. 272. Nous soulignons.
17. Laurent MAILHOT et Pierre NEPVEU, *op. cit.*, p. 532.
18. *Ibid.*, p. 521. Nous soulignons.
19. Berthelot BRUNET, *op. cit.*, p. 88, à propos de Simone Routier. Nous soulignons.
20. Auguste VIATTE, *op. cit.*, p. 187, à propos de Jovette Bernier, Aline Lemieux, Éva Senécal, Medjé Vézina et Simone Routier. Nous soulignons.
21. Pierre de GRANDPRÉ, *Histoire de la littérature française du Québec*, tome II (1900-1945), Montréal, Beauchemin, 1968, p. 236. Nous soulignons.
22. Petit de JULEVILLE à propos de Christine de Pisan. Cité par Chantal THÉRY, « Madame, votre sexe..., Les auteurs de manuels et les femmes écrivains », dans *Études littéraires*, vol. 14, nᵒ 3, (décembre 1981), p. 518. Nous soulignons.
23. CASTEX et SURER, *op. cit.*, tome I, p. 74, à propos de la même auteure. Nous soulignons.
24. LAGARDE et MICHARD, *op. cit.*, tome III, XIXᵉ siècle, p. 14, à propos de Mᵐᵉ de Staël. Nous soulignons.
25. René DOUMIC, *op. cit.*, p. 284, à propos de Mᵐᵉ de Sévigné qui sut, selon lui, éviter cet écueil.
26. CASTEX et SURER, *op. cit.* tome I, p. 74, à propos de Christine de Pisan. Nous soulignons.
27. *Ibid.*, tome II, p. 784, à propos de George Sand. Nous soulignons.
28. LAGARDE et MICHARD, tome VI, p. 605, à propos de Simone de Beauvoir. Nous soulignons.
29. Samuel BAILLARGEON, *op. cit.*, p. 388, à propos de Rina Lasnier. Déjà en partie souligné dans le texte.
30. Pierre de GRANDPRÉ, *op. cit.*, p. 289. Nous soulignons.
31. CASTEX et SURER, *op. cit.*, tome I, p. 74, à propos de Christine de Pisan.
32. *Ibid.*, tome I, p. 626. Nous soulignons.
33. Laurent MAILHOT et Pierre NEPVEU, traitant de l'imaginaire québécois des années 1975-1980, *op. cit.*, p. 45.
34. René DOUMIC, *op. cit.*, p. 485.
35. André CALVET, *op. cit.*, p. 519.

36. CASTEX et SURER, *op. cit.*, tome II, p. 785.
37. René DOUMIC, *op. cit.*, p. 558-559. Nous soulignons.
38. *Ibid.*, p. 284. Nous soulignons.
39. LAGARDE et MICHARD, *op. cit.*, tome VI, p. 604. Nous soulignons.
40. Léon THOORENS, *op. cit.*, p. 306. Nous soulignons.
41. *Ibid.*, p. 245.
42. *Ibid.*, p. 278.
43. Samuel BAILLARGEON, *op. cit.*, p. 248.
44. *Ibid.*, p. 136-137.
45. Marie LAURIER, « Pour Jacqueline Picasso, le grand peintre vit toujours », dans *La Presse*, 12 mai 1984, p. 3.
46. André CALVET, *op. cit.*, p. 592.
47. *Ibid.*, p. 382.
48. Françoise SAGAN, *Avec mon meilleur souvenir*, Paris, NRF, Gallimard, 1985, p. 183. Nous soulignons.
49. André-G. BOURASSA, *Surréalisme et littérature québécoise : Histoire d'une révolution culturelle*, Montréal, Éditions de l'Hexagone, 1986, (Collection « Typo »).
50. La même occultation frappa celles qui touchèrent aux arts plastiques. On sait maintenant que la fille de Tintoretto était peintre et que plusieurs de ses œuvres furent attribuées au père. On sait aussi que Camille Claudel, sœur du grand Claudel, élève, amante, modèle et associée de Rodin, exécuta certaines parties des œuvres du maître, le marqua de son influence et parut souvent l'égaler en puissance et en talent. Son œuvre vient d'être révélée au public. Elle-même mourut en 1943 dans un asile psychiatrique après 30 ans d'internement auxquels, semble-t-il, le frère ne fut pas étranger.
51. Tirage obtenu ici par *Le Libraire* de Gérard Bessette, et dont s'approchèrent, par exemple, *Poussière sur la ville* d'André Langevin, *Prochain épisode* d'Hubert Aquin et *Contes du pays incertain* de Jacques Ferron, sans que ces auteurs aient obtenu les grands prix internationaux qui font mousser les ventes, comme ce fut le cas pour Gabrielle Roy, Anne Hébert ou Marie-Claire Blais.
52. *Harvard Guide to Contemporary American Writing*, sous la direction de Daniel HOFFMAN, Cambridge et London, The Belknap Press of Harvard University, 1979.
53. *Guide culturel du Québec*, sous la direction de Lise GAUVIN et Laurent MAILHOT, Montréal, Boréal Express, 1982, p. 13. Nous soulignons.
54. *Ibid.*, p. 26. Nous soulignons.
55. Meg BODIN, *Les Femmes troubadours*, Paris, Denoël/Gonthier, 1978.
56. DHUODA, *Manuel pour mon fils*, introduction et texte critique par Pierre Riché, Paris, Éditions du Cerf, 1975, (Collection « Sources chrétiennes »).
57. Léon THOORENS, *op. cit.*, p. 275. Nous soulignons.

58. LAGARDE et MICHARD, *op. cit.*, tome VI, p. 32. Nous soulignons.
59. Sharon H. NELSON, « Bemused, Branded, and Belittled : Women and Writing in Canada », dans *Fireweed*, nᵒ 15, (hiver 1983).
60. Laurent MAILHOT, avec la collaboration de Benoît MELANÇON dans *Essais québécois 1837–1983*, consacre les trois quarts d'une page d'une brève préface pour expliquer en quoi *L'Échappée des discours de l'Œil* ne correspond pas aux critères de sélection de l'ouvrage. Cahiers du Québec, Montréal, Hurtubise HMH, 1984, (Collection « Textes et documents littéraires »), p. 9.
61. Janine BOYNARD-FROT, « Une lecture féministe des romans du terroir canadien-français de 1860 à 1960 », dans *Possibles*, vol. 4, nᵒ 1, (automne 1979), p. 46.
62. Pour plus de détails concernant les tendances québécoises, voir Janine BOYNARD-FROT, « Les écrivaines dans l'histoire littéraire québécoise », dans *Voix et Images*, vol. 7, nᵒ 1, (automne 1981), p. 147 à 154.
63. À l'Indien Rabindranath Tagore en 1913, au Japonais Yasunari Kawabata en 1968, et au Nigérien Wole Soyinka en 1986.
64. La dernière attribution remonte à 1966. Il s'agissait de l'Allemande Nelly Sachs. Auparavant, il y eut la Suédoise Selma Lagerlof, en 1909, l'Italienne Grazia Deledda, en 1926, la Norvégienne Sigrid Undset, en 1928, l'Américaine Pearl Buck, en 1938, et la poète chilienne Gabriela Mistral en 1945.
65. Publié par le ministère des Affaires culturelles du Québec, 1986. N'inclut pas toujours les récipiendaires de 1985 ou de 1986.
66. Créé en 1922 pour couronner des travaux littéraires et scientifiques. Existe sous sa forme actuelle depuis 1967. Pour chaque prix, nous donnons entre parenthèses sa date de création.
67. Ces chiffres désignent le nombre d'attributions, certaines personnes ayant obtenu ce prix à 3 reprises (Réjean Ducharme) ou à 2 reprises (Gérard Bessette, Anne Hébert, Pierre Perrault, Marie-Claire Blais, Nicole Brossard).
68. Non attribué en 1986 à la suite d'un article de Jean Royer publié dans *Le Devoir* du 22 février 1986. Autrefois Prix France-Canada, dévié de ses fins depuis que les services culturels du Québec à Paris permettent une composition exclusivement française du jury. De 1982 à 1985, ce sont les éditeurs Le Seuil, Grasset et Albin Michel qui se sont partagé ce prix (Grasset et Le Seuil faisaient partie du jury), rendant en quelque sorte inéligible un livre publié au Québec, d'où venaient cependant la majeure partie des subsides.
69. Comme pour le Prix Canada-Suisse, n'inclut pas 1985 et 1986.
70. *Répertoire*, p. 72. Nous soulignons.
71. *Ibid.*, p. 33. Nous soulignons.
72. *Ibid.*, p. 41. Nous soulignons. Ce prix couvre alternativement un ouvrage de création et un ouvrage en sciences humaines.

73. Nous ne tenons compte ici que des écrivains de langue française couronnés.

74. Aboli en 1985, ne fut pas toujours attribué. S'adressait à «des francophones habitant un autre pays que la France».

75. Ne figure pas ici le prix Jean-Béraud Molson du Cercle du Livre de France, non complètement représentatif. Pendant les dernières années de son existence, il fut attribué à des manuscrits présélectionnés par les éditeurs participants et non directement aux manuscrits présentés par les auteurs eux-mêmes. Auparavant, les épreuves du livre à paraître étaient soumises au jury, mais la maison d'édition n'a pu confirmer si l'anonymat était respecté au cours de ce processus. Ce prix est devenu, depuis 1983, le prix Molson de l'Académie canadienne-française, administré, sur des bases totalement différentes, par l'Académie canadienne-française et l'Union des écrivains québécois.

76. Inclut un collectif dont les noms ne figurent pas dans le répertoire.

77. Distingue une œuvre ou une personnalité du monde littéraire.

78. Inclut également les arts, le journalisme, la recherche scientifique.

79. Inclut également les arts.

80. Sylvie BERNIER, *Prix littéraires et champs de pouvoir: Le Prix David, 1923-1970*, thèse de maîtrise, Département d'études françaises, Faculté des arts, Université de Sherbrooke, 1983.

PERSPECTIVES D'AVENIR : CONVERGENCE ET MÉTAMORPHOSES

[...] *pour un vertigineux début de synthèse des existants.*

Jocelyne FELX

L'analyse menée sur les pratiques entourant la perception et l'évaluation de la différence ethnographique, géographique, sexuelle a paru emprunter des détours qui laissaient parfois en attente la littérature, objet central de cette analyse. Mais comment parler de celle-ci sans examiner ce qui l'influence et la structure : la langue qui la fonde, le complexe institutionnel qui l'impose, les structures idéologiques et économiques qui la déterminent à être ce qu'elle est, un lieu du texte servant de résonance et de relais à l'ensemble du discours social.

Toute littérature se construit à partir d'un espace conceptuel, social et géographique précis. Les littératures périphériques laissent le plus souvent transparaître la trajectoire des itinéraires choisis. À l'opposé, les littératures dominantes ont tendance à se produire comme espace absolu : espace de l'art, milieu transcendant et intemporel pouvant ignorer le poids de l'histoire et le soutien des pouvoirs qui les placent au centre d'une configuration hégémonique assurant leur triomphe. L'impérialisme culturel vit du lapsus qu'il entretient à l'égard du concept de territorialisation et d'universalité. La transcendance dont il s'entoure est le voile jeté sur la position de maîtrise détenue.

Situer l'analyse du lieu où j'écris obligeait à suivre un parcours qui mettrait en scène l'Amérique, et plus spécifiquement cette part d'Amérique française que j'habite, dans son rapport à la différence. Car le Nouveau Monde devrait faire l'épreuve des vieux concepts, en renouveler la problématique ou en perpétuer les effets. Ici encore plus qu'ailleurs se ferait sentir l'urgence des révisions. À la veille de l'an 2000, l'univers est à nos portes, et on n'ose plus parler d'universalité. On sent que le mot a fait son temps.

Trois événements majeurs ont contribué à discréditer le concept d'universalité, pilier de nos élaborations mentales et de nos fictions littéraires où s'observe la distance qui nous sépare de l'Autre, personne étrange, étrangère, dont l'extériorité accuse des traits envoûtants ou détestables. Il y eut tout d'abord, au cours de la première moitié du siècle, la découverte de l'homme non européen comme être historique. En affaiblissant les hégémonies établies, la décolonisation bouleversait l'équilibre des rapports de force et mettait à nu certaines idéologies, rendant visibles les liens étroits qui unissent la théorie et la pratique dans la saisie de la différence ethnique et raciale.

À peine s'était-on remis du choc qu'il y eut, dans la seconde moitié du siècle, la découverte de la femme comme être social. Une deuxième déstabilisation s'amorçait, plus globale et profonde, qui effectuait le rapprochement du privé et du politique dans les lieux mêmes où se constitue la structure sociale primordiale permettant à toute société de naître et de se perpétuer. Ces deux événements, qui révélaient des contradictions flagrantes entre les rapports sociaux avoués et les rapports sociaux cachés, coïncidèrent de surcroît avec l'explosion technologique et scientifique qui instaurait une intercommunication généralisée.

Pour la première fois dans l'histoire, toutes les sociétés devenaient communicantes, et chaque personne pouvait être mise en état de communiquer. Tant individuellement que collectivement, on pouvait voir, observer, comparer sa situation à celle de l'ensemble des groupes formant ou entourant sa propre société. Par ailleurs, des échanges économiques accrus, joints à la multiplication des messages mis en circulation par la parole, l'écriture et l'image, rendaient voisines des expériences humaines que l'on pouvait désormais confronter. Le phénomène se poursuit. Comment se satisfaire du discours jusqu'ici tenu sur la différence, longtemps invoquée comme justification première de l'inégalité, quand les manques affichés dans nos journaux ou sur nos écrans de télévision ne sont plus imputables aux seules carences tiers-mondistes, raciales, sexuelles.

L'acculturation dans l'espace et le temps de différences dites « naturelles » devient tout à coup visible, appelant une éthique et une esthétique qui ne soient plus fondées sur l'idéalisation du lointain et l'infériorisation du proche. L'Autre n'est plus celui ou celle que l'on rêve à distance. Il est partout, exposant la différence réelle, l'écrivant, l'imposant aux machines parlantes qui ont du mal à lancer des contre-messages. La conscience de cette proximité nous prive d'une bienheureuse insouciance. Quand l'inconnu envahit sa ville, habite sa maison, emprunte les mêmes rues, partage le même lit, l'universel risque le congédiement. On ne peut plus s'en remettre à lui pour compartimenter le réel. Des appels au soupçon se font entendre, mêlés de rumeurs apocalyptiques. Le monde se meurt, crie-t-on. La fin du monde est pour demain.

Hors l'acception littérale du terme à laquelle la folie nucléaire permet de souscrire, ce qu'on appelle la fin du monde pourrait n'être que la fin d'un monde. La fin de l'euro-américanisme, qui imposa à l'univers sa pensée, ses valeurs, ses besoins. Pendant des siècles la planète entière s'est vue forcée de souscrire aux intérêts et aux aspirations d'une culture blanche, pragmatique, masculine, prospère. Mais voici que la Terre s'agrandit, que les périphéries se multiplient, que le centre sent peser sur lui la menace d'un déplacement ou d'un éclatement irrémédiable. Où situer le nouvel espace de pensée ? À quoi s'accrocher lorsque le primat d'universalité, dont l'évidence faisait preuve à qui le formulait ou s'y ralliait, devient inopérant, expose ses ratures et ses ratages ?

La crise de civilisation actuelle, qui est peut-être avant tout une crise des idéologies, indique l'ébranlement d'un impérialisme culturel qui avait cru, par le biais de la différence, tracer une frontière étanche entre le naturel — que l'on détectait toujours chez l'Autre — et le culturel dont on était porteur et dont on se ménageait le contrôle et les privilèges. Dans cette perspective, l'instance régnante se soutient de l'écart délibérément maintenu entre la différence réelle et la différence invoquée. Une différence de nature (anatomique, biologique, géographique) est convertie en différence sociale (rapports de classe, de sexe, de race, de groupe) par le centre qui détient le pouvoir de l'indexer, de la soumettre, de déterminer son effacement par des marques qui la désignent comme asignifiante ou insignifiante.

Produire des systèmes idéologiques et des modes de marquage qui séparent le proche du lointain, c'est-à-dire qui isolent le naturel du culturel et favorisent entre ces deux espaces des échanges qui profitent au centre, est précisément à quoi s'applique l'impérialisme culturel. La différence, alors perçue par un sujet privilégié, est subordonnée au système de pensée de l'observateur, qui la définit dans ses codes, l'illustre dans sa littérature, l'explicite dans ses productions culturelles.

Liée à la fonction de service qui préside à son élaboration, cette différence est tantôt condamnée par l'argument rationaliste, tantôt louée par la métaphore. Le premier justifie le rapport de domination qui tire prétexte des écarts observés pour stigmatiser les personnes et les groupes jugés inférieurs au modèle universel dont on détient l'exclusivité. La seconde, éprise d'exotisme et d'idéalisation, en cherche l'incarnation dans celui ou celle qui habite des territorialités lointaines, atemporelles, garantissant la permanence d'un état de nature regorgeant de bienfaits et de béatitudes.

Ces émanations conceptuelles et fantasmatiques traduisent les aspirations sublimées de sociétés fondées sur des valeurs d'échange. La production marchande nécessite un espace de pensée à la fois homogène et décalé où, de par la volonté de la nature, les êtres naturels occupent les périphéries coïncidant avec le bas de la pyramide sociale, et les êtres culturels, le sommet correspondant au centre. À la périphérie, lieu de la nature où les personnes ont fonction d'outil, sont produits les biens et services indispensables à l'accroissement du capital et à l'entretien et à la reproduction des corps. Au sommet, lieu du sacré, de la culture, de la politique, s'effectue la création de biens symboliques, l'élaboration de la loi, le contrôle des codes, des corps et des biens produits.

Dans la première phase du processus, les groupes initiateurs du projet se déplacent, emportant avec eux leur langue, leur culture, leur art, panoplie de biens symboliques aussi indispensables à leur bien-être qu'à l'entreprise de territorialisation propre à tout acte de colonisation. On part explorer des territoires lointains afin d'y trouver de la main-d'œuvre, des marchés, un capital symbolique pouvant se traduire en pouvoir, en évasion, en inspiration. Dans la seconde phase, une fois implantées les structures de pensée et de production favorisant la libre circulation des marchandises, suit, appelée par les impératifs de la croissance, la libre circulation des personnes qui affluent vers les métropoles et les mégapoles afin d'y chercher du travail, des machines, l'information, le génie qui paraît abolir les différences liées à l'origine du lieu. À ce stade, la déterritorialisation géographique et symbolique, mouvement inversé de la territorialisation matérielle et culturelle de la première phase, est prônée comme la vertu suprême, le raffinement ultime de l'art et de l'esprit.

Subsiste néanmoins, malgré l'émiettement des pourtours, une hiérarchisation qui laisse le centre intact. C'est là où nous en sommes. Quand on dit, par exemple, que la langue française est le patrimoine commun de 42 pays du monde, on propose moins le pluralisme culturel que la consolidation des acquis. De même, quand on parle de littérature francophone, on pense aux Antilles, à l'Afrique, à la Suisse, à la Belgique et au Québec comme à autant de territoires extérieurs pouvant honorer Paris de leur allégeance et former le public consommateur des idées et des marchés de l'ex-métropole affaiblie mais non encore supplantée comme pôle de référence et de révérence. C'est dans cet esprit que le gouvernement canadien dotait récemment l'Académie française de 400 000 dollars dans le but de créer un Grand Prix de la francophonie, sans consulter l'Académie canadienne-française, qui n'a pas été invitée à faire partie de la commission de gestion du prix, et qui aurait tout aussi bien pu recevoir et administrer ce fastueux don.

Malgré les efforts de décentralisation consentis au cours de ces dernières années — effort de coédition, augmentation des collections consacrées à la littérature francophone, ouverture des prix Goncourt, Renaudot, Médicis et Apollinaire aux étrangers, invitation à participer à des colloques et tribunes d'opinion — rien n'est fondamentalement changé. Le centre se conçoit toujours comme le seul lieu d'où puissent venir l'élaboration, la reconnaissance et la gestion du fait littéraire. Et la périphérie lui reconnaît tacitement ou officiellement ce droit, trouvant normal que le livre monopolistique occupe ses marchés, ses médias, son imaginaire, comme son bien propre, négligeant d'exiger la réciproque ou même le dixième ou le centième de ce traitement.

Expliquer le phénomène de centralisation parisienne par l'absence de formation d'un second pôle francophone — comme Mexico pour l'Espagne, ou New York pour l'Angleterre — laisse entendre qu'il suffit de changer le mal de place pour corriger l'erreur. C'est oublier que les défaites françaises en Amérique au XVIIIe siècle sont en partie responsables du phénomène. Et négliger de considérer que l'impérialisme américain, l'un des plus résolument actuels, n'est en rien inférieur à n'importe quel autre impérialisme. La décentralisation s'effectue moins par l'intronisation d'un pôle substitutif, qui déplace le centre sans l'abolir, que par la mise en relation de pôles multiples dont le fonctionnement rend le maintien du centre impossible non seulement comme fait mais aussi comme idée.

Dans les exemples cités précédemment, on a voulu changer le fait sans modifier l'idée. Ce qui touche la littérature française et ses littératures périphériques est une illustration, parmi d'autres, d'une tendance occidentale fort ancienne qui vise à réduire au modèle unique garantissant des profits immédiats un pluralisme d'expression que l'on souhaite détourner de ses fins pour y substituer un centralisme niveleur. Ce narcissisme anthropologique mis en position de pouvoir tend à stigmatiser les différences et à les revêtir de marques identificatrices qui en déterminent l'usage et les limites.

Mais alors, serait-on en droit de penser, qu'est-ce qu'attend la périphérie, soit, dans ce cas-ci, la francophonie, pour faire cause commune ? Plusieurs raisons y font obstacle qui m'apparaissent d'ordre structurel. En premier lieu, tout n'est pas égal à l'intérieur de la francophonie. Tant sur le plan national que sur le plan international, des disparités économiques, politiques, culturelles font que certaines zones périphériques sont plus périphériques que d'autres, c'est-à-dire se trouvent plus éloignées des marchés, des lieux d'influence, des lieux de discours, d'intervention et de diffusion qui rendent les productions culturelles présentes sinon visibles.

Pensons, à ce propos, que les deux tiers des francophones habitent au sud de l'Équateur, dans des régions économiquement faibles. Et pensons aussi qu'en habitant le Québec, lieu d'intense métissage situé à la charnière des trois Amériques (du Nord, du Centre et du Sud) — sans oublier l'Amérique première, l'Amérique fondatrice qui fut d'abord amérindienne et inuit et sut naître et se découvrir sans nous —, nous pourrions ne pas nous satisfaire d'occuper la ligne médiane entre la vieille Europe (« je suis de

culture française») et la jeune Amérique anglo-saxonne
(«je suis de culture américaine»).

En second lieu, malgré la meilleure volonté du monde, la
reconnaissance effective, concrète, de l'ensemble de la
littérature francophone peut difficilement s'accomplir d'un
lieu périphérique à l'autre, puisqu'un visa culturel non
sanctionné par la loi économique reste inopérant. Si le
centre possède seul les moyens politiques, économiques et
culturels d'imposer sa différence et de la proposer comme
modèle universel, l'identification et l'accréditation passent
inévitablement par lui. Qui réussit est dès lors assimilé au
centre. Qui reste dans le zonage initial se néantise dans les
franges des cultures parcellaires ou silencieuses.

Cela vaut pour toute configuration centralisatrice. Qu'il
s'agisse des rapports institués au nom de quelque différence
que ce soit, en quelque domaine que ce soit, le pluralisme ne
peut émerger que si les disparités trop criantes s'atténuent
entre les sociétés, les classes ou les groupes concernés. Tout
arbitrage de la différence qui contourne le secteur économique — condition première de toute forme d'égalité et de
réciprocité — souscrit à l'utopie.

Cette prise en considération des conditions de production
matérielle et idéologique de la différence permettrait de
concevoir que les réalisations de telle communauté, ou de
tel groupe social à l'intérieur de telle communauté, ne
représentent qu'un échantillon de ce que peuvent accomplir
la totalité des groupes et des communautés. Chaque culture
n'est en effet qu'un fragment de la somme des cultures
possibles. Le prestige d'une culture est liée à la qualité des
productions offertes mais aussi, comme cet essai n'a cessé
de le démontrer, à l'importance du lieu producteur, à son
aire d'expansion économique et politique. Que telle forme
de culture se soit imposée comme universelle, tant dans ses
critères que dans son fonctionnement, relève de facteurs
socio-historiques plutôt que de propriétés intrinsèques qui
l'auraient désignée a priori comme préférable ou supérieure.

Ainsi, en Occident, apprendre à écrire oblige à effectuer la coupure d'avec le monde sensible. Dans les cultures amérindiennes, orientales et africaines, le pictural, induit de l'exercice du corps, garde une fonction de pulsion, d'usage sensoriel qui déborde les fonctions de communication et d'expression. Que nous ayons préféré l'écriture analytique, plus conforme aux exigences de notre civilisation marchande, ne postule en rien sa supériorité. De même, qu'une large part de la production littéraire et culturelle des groupes périphériques échappe aux critères des groupes dominants qui dictent le rapport aux mots, au corps, à l'imaginaire, induit moins son insignifiance que son asignifiance. Que le système critique trouve là prétexte à la méconnaître ou à la discréditer peut signifier que nous nous trouvons face à une pratique autre — qui refuserait, par exemple, la coupure entre le monde sensible et le monde symbolique, et serait considérée comme illégitime dans son exercice et sa conception parce qu'exprimant l'impensé ou l'impensable d'une culture.

Une philosophie animée par l'obsession de l'unité et le désir de centralisme devait inévitablement se trouver des grammaires, des codes esthétiques, éthiques, littéraires et lexicaux où inscrire le marquage de ses modes de classification et d'unification. Que la technique moderne soit devenue la médiation de notre équilibre — et sa terreur — fait ressortir la violence contenue dans tout processus de structuration de la pensée, de gestion de la vie répondant au modèle unique proposé par les groupes dominants.

Si l'on comprend que la société, et tout particulièrement la société moderne, est un agencement mouvant de rapports qui s'établissent entre des personnes, des choses, des signes et des symboles, on envisage moins sa dynamique en termes d'unité qu'en termes de convergence. Au cours de son histoire — pour autant qu'elle en ait une, mais alors pourquoi en serait-elle dépourvue ? — toute formation humaine a excellé dans un secteur quelconque de l'activité humaine. Favoriser le pluralisme des modèles permettrait de ressaisir dans le temps et l'espace ce qui fut écarté dans la sélection des actions, fictions, élaborations culturelles constituant le patrimoine universel.

La littérature loge encore trop dans l'espace de pensée unitaire marqué par la logique de la séparation et de l'exclusion indiquant la coupure. Cette forme de rationalité, issue de la philosophie grecque postsocratique que Descartes et Newton illustrèrent de façon exemplaire, considère l'univers comme une machine faite d'objets séparés communiquant entre eux par des relations de cause à effet. Elle ignore ce qui s'explore maintenant dans l'écriture, les arts et les sciences, notamment en astrophysique, en biologie, en écologie et en médecine holistique. Tout n'est pas donné au départ. Un mouvement énergétique, une composition vivante est un tissu complexe de relations issues des différentes parties d'un tout intégré. De la cohérence ou du choc des interactions naît la structure d'ensemble jamais complètement fixée, arrêtée, achevée.

Appliquée à l'art, cette logique de la convergence, qui ne privilégie aucune entité a priori, considère que celui-ci se constitue et évolue à partir de la mise en contact d'éléments divers. Cette attitude ouvre la voie au pluralisme des situations pouvant inclure le fusionnel non pris en charge par la pensée rationnelle. Or le fusionnel est l'expérience première de la vie. Si l'on se souvient peu du temps où le corps était sans mots, toute femme qui a enfanté sait qu'une chose n'est pas qu'elle-même, qu'une chose peut être elle-même et son contraire, elle-même et autre chose d'indéfini, de multiple, où se rabat mal la notion de frontière.

En dehors même du phénomène de gestation, quelque chose d'analogue peut être éprouvé par n'importe quel individu dans son rapport à la nature, à l'art, à la vie intime, à l'imaginaire, si ses perceptions ne s'édifient pas sur le refoulement du fusionnel. Cette forme de logique encore à peine ébauchée — et dont le fonctionnement et les composantes empêchent peut-être la formalisation — pourrait être utilisée comme logique complémentaire, et non substitutive, de la pensée rationnelle qui a rendu possibles le progrès matériel et l'approche scientifique. Elle permettrait d'accueillir d'autres expériences de création, d'autres mémoires, d'autres parcours mentaux. Et de cette tentative visant à réconcilier le dedans et le dehors, l'abstrait et le concret, le transcendant et l'immédiat, le proche et le lointain, pourrait naître la volonté de renoncer à l'absolutisme des cultures et à la tentation de se rendre propriétaire de la pensée et du langage.

Une telle transformation appelle autant une réorganisation des savoirs qu'une réorganisation sociale. Changer les représentations et les théories explicatives du réel qui en imposent la perception, et partant la reconnaissance et le fonctionnement, contribue à l'instauration d'un nouvel ordre socio-culturel. Et inversement, instaurer cet ordre, c'est en proposer une nouvelle conceptualisation. Cela explique les résistances qui s'éveillent dès que paraît s'affirmer en littérature une épistémologie où semble s'inscrire du féminin, du périphérique, non seulement comme forme lexicale, grammaticale, graphique, mais comme forme conceptuelle. Penser un fait, c'est le changer. L'universel, clef de voûte de l'impérialisme culturel, craint alors sa destitution, à tout le moins sa disqualification.

La logique de la convergence ne peut s'établir que si les différences sont saisies dans leur interaction. À cet égard, l'approche interculturelle semble promise à de meilleurs résultats que l'approche intraculturelle. La première ne considère aucune culture comme supérieure, ni comme totalement indépendante ou étrangère aux autres. Tout phénomène culturel est alors perçu comme le résultat instable d'un entrecroisement d'éléments d'origines diverses ; et toute production culturelle, comme une synthèse d'apports internes et externes pouvant profiter à l'ensemble des communautés humaines. À l'opposé, une vision intraculturaliste des phénomènes sociaux incite à sacraliser sa

propre culture, paradigme de perfection, de beauté et d'efficacité, contrairement à d'autres cultures, saisies dans leur
extériorité, où tout est désordre, incohérence, anachronisme,
obscurité. Cette survalorisation, qui refuse la confrontation
et n'accepte d'échanges que marqués du sceau de la dépendance, perpétue la parodie du consensus. C'est, nous l'avons
vu, l'idéologie de l'universalisme, cette tentation totalitaire
de l'Occident trop enclin à sous-estimer les particularismes
culturels étrangers aux siens.

L'écart qui sépare les cultures tient davantage des géogra-
phies mentales, sociales, administratives qui soutiennent
celles-ci que de la géographie physique qui les rend mani-
festes. N'invoquer que cette dernière, ou la taire au nom de
quelque universalisme éclectique et bienséant, conjugue les
effets antinomiques des régionalismes étriqués et des cen-
trismes mégalomanes. On ne va au dehors qu'à partir d'un
espace habité. Les autres ne nous y rejoignent que si nous y
sommes. L'erreur n'est pas de s'attacher au lieu qui est le
sien, mais de l'élire, au nom de l'impérialisme culturel ou de
quelque parti pris ontologique, politique, esthétique, comme
seule demeure où puissent s'épanouir la pensée, les arts, la
littérature.

Trouver le bon intervalle entre le cloisonnement frontalier
et l'ouverture inconsidérée permet de faire l'économie de la
rhétorique du déplacement, qui prône la déterritorialisation
comme on propose un voyage dans la carte postale. Emprunter à l'Autre qui ne débarquera jamais chez soi l'illusion
du dépaysement et les bonheurs de la dérive n'entame en
rien l'autarcie de ses jugements et le confort de ses conduites. Mais sans doute l'aptitude au métissage culturel et
à la mixité conceptuelle et sociale est-elle plus aisée pour
qui se trouve dans l'indétermination des cultures de carrefour, où se vit quotidiennement l'expérience de l'écart.
Ces cultures de synthèse inachevée, où transparaissent des
ruptures, des manques, des discontinuités, à qui font parfois
défaut le sens de l'appartenance et l'appui de la tradition,
peuvent se rallier plus facilement à l'idée de convergence

que les cultures dominantes, où le moindre indice de décentralisation prend figure de crise ou de catastrophe.

Parce que la plénitude de l'histoire s'est traditionnellement définie par la possession des pouvoirs et des territoires matériels et symboliques qui en permettaient l'avènement et en renvoyaient l'image, l'esprit de convergence exige un renoncement moindre de qui se trouve hors de l'histoire, ou dans ses marges, que de qui la soutient. D'habiter ces lieux où manquent la mémoire du passé ou l'anticipation de l'avenir, d'occuper un espace culturel où rien ne paraît devoir s'édifier d'exemplaire et de durable peut ouvrir deux voies. Une première confinant à l'impuissance, à l'abandon de tout effort d'insertion dans les systèmes constitués qui ne peuvent être concurrencés, dont on ignore les codes et pour lesquels on dispose de trop peu d'entrées — c'est le dénuement extrême des sociétés archaïques face aux sociétés modernes. Une seconde, accessible aux groupes et sociétés intermédiaires qui disposent d'un minimum de moyens permettant de se situer dans l'une ou l'autre des configurations sociales contribuant à la culture globale, peut favoriser des attitudes d'accueil ou de tolérance, encourager l'élaboration d'échanges, d'initiatives, de formes d'art empreintes du sens de la relativité. De se savoir un fragment minuscule et fragile d'une culture en perpétuel mouvement peut incliner à se tenir à la confluence de mouvements porteurs d'énergie novatrice, de contradictions fécondes, de dissonances stimulantes.

Ainsi, s'il fallait parler d'échec québécois, peut-être faudrait-il moins invoquer la rupture d'avec le modèle européen — ou l'incapacité de coïncider avec le modèle américain —, que son isolationnisme face au monde latin panaméricain, sa fermeture au milieu d'origine, à ce qui faisait l'originalité des Amériques, la présence autochtone, une culture, une conception de l'espace et du temps qui établissaient un rapport au monde plus fusionnel qu'analytique. De même, le retard historique des femmes pourrait être envisagé moins en fonction de la distanciation imposée par le système patriarcal que dans la lenteur de celles-ci à imaginer des formes de culture et des modes de représentation du réel qui puissent faire trace sans oblitérer l'exigence de vie dont elles sont porteuses et que rend mal une civilisation de la coupure et du retrait.

À 13 ans de l'an 2000, il semble moins impératif de voyager dans les cultures étrangères — cultures du trop proche ou du trop lointain, cultures du silence, de l'innommable et de l'innommé —, que de les laisser venir à soi. L'exotisme perd ici ses assises. Est exotique ce qui se trouve à l'extérieur. Si j'efface la ligne de partage entre l'intérieur et l'extérieur, si j'abolis le centre comme point de référence, l'étranger, l'étrangère, c'est autant moi que l'Autre. Je ne peux plus dès lors m'enchanter du lointain et me livrer à la promotion délirante de l'Ailleurs comme lieu de la différence parfaite.

Quand l'Autre nous rejoint en deçà des lieux communs qui l'annoncent ou en font l'éloge posthume, les contours de la carte postale s'estompent. Derrière le paysage appris émerge un visage singulier qui oblige à traverser l'instant de la rencontre et de l'accueil.

SOMMAIRE